숨결이 바람 될 때

내가 의사 폴 칼라니티의 《숨결이 바람 될 때》를 읽게 된 것은 우연이었다. 여러 매체에서 추천하고 출간과 동시에 판매 1위에 올라서도 아니었다. 나는 베스트셀러들을 일일이 훑어볼 정도로 독서를 많이 하지 않는다. 순전히 우연이었지만 너무나 큰 행운이었다. 저자는 문인이 되기 위해 스탠퍼드 대학에서 영문학을 전공해 학사와 석사 학위를 받고 영국에서 철학 석사를 받았다. 그러다가 생명 현상과 인간을 깊이 이해하려는 열망으로 의과 대학에 들어 갔고 졸업 후에는 뇌를 연구하기 위해 신경외과를 택해서 7년간의 힘든 수련생활을 하던 그 마지막 해, 36세의 나이에 투병생활을 시작한다. 이 기막힌 때에 그는 첫 번째이자 마지막인 이 에세이를 쓴다. 습관적으로 속독을 하는 나는 이 책만은 도저히 빨리 읽을 수가 없었다. 인용된 문학작품의 예문들이 빛나서도 아니고 의사 수련 과정의 에피소드가 내가 경험했던 젊은 날의 수련과 같아서만도 아니었다. 시간을 아껴 좋은 작품만 골라 읽는 사려 깊은 분에게 나는 이 책을 조용히, 그러나 정성스럽게 추천한다.

— 마종기(시인, 의사)

무엇이 인간의 삶을 의미있게 하는가. 몸과 마음, 생사의 접경에서 치열하게 묻고 끝내 자신을 완전연소했던 구도자의 기록. 시간과 싸우며 죽음을 응시한 장면장면이 감동적이다. 마지막 장을 덮는 순간 맘 속에서 한줄기 바람이 인다. 짧지만 뜨겁게 살다 간 진실힌 영혼의 숨결이다. 일말의 주지없이 권한다.

— 전병근(북클럽 오리진 운영자)

암으로 두병중인 나에게 이 책은 각별한 위로와 용기, 지혜의 빛을 준다. 죽음에 대한 불안과 두려움을 극복해서 누리는 마음의 평화, 죽음을 넘어서는 사랑의 힘과 가치, 살아있는 동안은 최선을 다해야 할 임상의 의무와 평범한 황홀함을 깨우쳐 주는 고마운 책 《숨결이 바람 될 때》! 우리 모두 언제 찾아올지 모르는 죽음을 피하지 않고 귀한 손님으로 예를 갖추어 겸손하게 받아들일 준비를 하도록 도와주는 젊은 의사의 이 간절한 고백록을 그냥 한 번 읽는 것만으로도, 슬프지만 아름다운 영혼의 학교에 입학한 듯한 감동에 믹믹한 행복을 느낀다. 문장 하나 하나가 어서 그리노 산견하게 시적이며 애틋하고도 현실적인 아름다움으로 빛나는가. 이 책의 저자만큼은 아니더라도 우리 역시 자신의 고통을 객관화 하는 냉철함, 주변 사람을 챙기는 따뜻한 배려를 날마다 새롭게 배워가면 좋겠다. 지상의 순례자로서 채워갈 사랑의 의무가 언젠가는 하늘의 별로 승천하는 기쁨을 맛볼 수 있도록!

— 이해인(수녀, 시인)

의사들은 정도의 경중이 있을 뿐 언제나 일정 부분 남의 삶과 죽음에 관여한다. 이 글도 다른 의사들이 통상적으로 쓴 글처럼 삶과 죽음에 대한 치열한 기록이지만 이토록 깊고 아픈 의사의 글은 본 적이 없다. 의학은 기본적으로 철저한 과학이다. 자신만의 비방이나 수술적 경험을 함부로 다른 사람의 목숨을 걸고 적용하지 못한다. 기초과학의 교과서적인 원칙에 근거하여, 이중맹검연구를 바탕으로 한 수많은 임상증례가 정확히 수식화되어 통계학적인 의의를 가져야 그 치료법은 비로소 의학의 본류에 합류할 수 있다. 이렇게 고도로 정제된 자연과학의 일부인 의학은 매우 특징적으로 인문학적인 특성을 가진다. 임상의학에서의 환자 치료는 과학이라는 학문적 영역과 인간관계를 핵으로 돌아가는 철학의 본질에 접근한다. 본 저자와 같이 완전한 인문학적인 토양에서 학문적 토대를 이루고 난 후에 응용과학의 제일 첨병에 서 있는 임상의학, 그것도 외과계 의학을 전공하는 이러한 의사들을 만들어 보고자 한국에서는 의과대학을 의학전문대학원 체제로 전환해 보았으나 그 정책의 결과는 전혀 다른 방향으로 나타나며 "의료계에서의 합병증"만을 만들어냈다. 이제는 대부분의 의과대학들이 의학전문대학원 체제를 포기하고 과거로 회귀하고 있다. 본 책의 저자를 정말 만나고 싶다. 같은 동료 외과계 의사이자 생각의 바닥조차 가늠이 안 될 정도로 성숙된 정신세계를 가진 이 사람과 같이 수술을 하면서 얼마나 수술을 잘하는지 보고도 싶고 저녁 늦게 당직실에서 매운 겨자가 듬뿍 뿌려진 샌드위치를 먹으며 세상 얘기를 하고 싶다. 그리기에 너무 늦은 것 같아 가슴이 아프다. 정말 멋있는 신경외과 의사다.

– 이국종(아주대학교 의과대학 외과 교수)

감동적이고 슬프고 너무나 아름다운 책이다. 너무 젊은 칼라니티 의사의 회고록은 죽어가는 사람들이야말로 우리에게 삶에 대하여 가장 많이 가르쳐준다는 것을 증명한다.

— 아툴 가완디(《어떻게 죽을 것인가》 저자)

이 책을 읽고 나서 잊어버리기란 불가능할 것이라고 단언한다. 그는 친구에게 이렇게 썼다. "이건 단지 충분히 비극적이고 충분히 상상할 수 있는 일이지." 그리고 충분히 이 책은 놓칠 수 없는 중요성을 지닌 책이다.

— 〈뉴욕타임스〉

이 책 덕분에, 폴 칼라니티를 만나보지 못했던 사람들은 그의 죽음을 애도하고 그의 삶으로부터 혜택을 얻게 될 것이다. 이 책은 O형 혈액처럼 누구에게나 생명의 피를 나누어줄 수 있는 몇 안 되는 책들 중 하나이다. 나는 이 책을 모든 사람에게 권하고 싶다.

— 앤 패체트(소설가)

내 생애 단 한 번의 이벤트, 죽음은 그 너머의 풍경을 보지 못하게
한다. 칼라니티는 그 다음을 기대한 사람이었다. 선고된 죽음 앞에
태어나지 않은 아이를 안고 가는 자기와 그 곁을 걸어가는 아내를
떠올린다. 다가서려고 하지만 다가설 수 없는 풍경을 위해 한없이
노력하는 한 사람의 마지막 신물은 죽음에 대한 자세를 생각하게
한다. 시간 너머의 시간을 꿈꾸며 시간을 채우는 마음은 내게 깊
은 질문을 던진다. 내가 없어진 세상에 나는 어떤 모습인지, 무엇
으로 기억될지를 생각하며 비로소 나는 나를 만나게 된다. 어쩌면
죽음은 가까이 가지만 갈 수 없는 세계를 잊지 않게 하는 장치인
지도 모른다.

– 솔다렐라(독자)

WHEN
BREATH
BECOMES

서른여섯 젊은 의사의 마지막 순간

숨결이 바람 될 때

폴 칼라니티 지음 이종인 옮김

흐름출판

내 딸 케이디에게

죽음 속에서 삶이 무엇인지 찾으려 하는 자는

그것이 한때 숨결이었던 바람이란 걸 알게 된다.

새로운 이름은 아직 알려지지 않았고,

오래된 이름은 이미 사라졌다.

세월은 육신을 쓰러뜨리지만, 영혼은 죽지 않는다.

독자여! 생전에 서둘러

영원으로 발길을 들여놓으라.

브루크 풀크 그레빌 남작,
〈카엘리카 소네트 83번〉

You that seek what life is in death,

Now find it air that once was breath.

New names unknown, old names gone:

Till time end bodies, but souls none.

Reader! then make time, while you be,

But steps to your eternity.

Baron Brooke Fulke Greville,
"Caelica 83"

죽음 속에서 삶이 무엇인지 찾으려 하는 자는
그것이 한때 숨결이었던 대기에서 찾아낼 것이다.
새로운 이름은 아직 알려지지 않았고
오래된 이름은 이미 사라졌다.
세월은 육신을 쓰러뜨리지만 영혼은 죽지 않는다.
독자여! 생전에 시간을
영원으로 발길을 돌려야 할지니.

브루크 풀크 그레빌 남작,
〈카엘리카 소네트 83번〉

You that seek what life is in death,

Now find it air that once was breath.

New names unknown, old names gone:

Till time end bodies, but souls none.

Reader! then make time, while you be,

But steps to your eternity.

Baron Brooke Fulke Greville,
"Caelica 83".

이 책의 내용은 저자 폴 칼라니티의 기억에 바탕을 두었다. 그러나 여기 등장하는 모든 환자의 이름은 가명이다. 그리고 각 환자의 신원을 드러낼 수 있는 나이, 성별, 인종, 직업, 가족 관계, 거주지, 병력(病歷), 진단 등의 세부사항은 모두 수정했다. 또한 칼라니티의 동료, 친구, 담당 의사의 이름 역시 단 한 명을 제외하고는 모두 가명이다. 혹 특정인과 유사한 경우가 있더라도 전적으로 우연의 일치일 뿐이며, 전혀 의도한 것이 아니다.

한국어판에서 의학 용어를 감수해 주신 이진홍 선생님께 감사드린다.

차
례

Prologue

웹스터는 너무도 죽음에 사로잡혔기에
피부 밑에 있는 두개골을 들여다봤다
그러자 땅 밑의 가슴 없는 존재들이
입술도 없이 활짝 웃으며 몸을 뒤로 젖혔다

———

T. S. 엘리엇, 《불멸의 속삭임》

나는 CT 정밀검사 결과를 휙휙 넘겼다. 진단은 명확했다. 무수한 종양이 폐를 덮고 있었다. 척추는 변형되었고 간엽 전체가 없어졌다. 암이 넓게 전이되어 있었다. 나는 신경외과 레지던트로서 마지막 해를 보내는 중이었다. 그리고 지난 6년 동안 이런 정밀검사 결과를 수없이 검토했다. 혹시나 환자에게 도움이 될 방법이 있지 않을까 하는 마음에서. 하지만 이번 검사 결과는 이전과는 다른 의미를 지녔다. 그 사진은 내 것이었다.

나는 수술복에 흰 가운을 걸치고 방사선실에 서 있는 것이 아니었다. 환자복을 입고 링거 대에 매인 채 간호사가 내 병실에 남겨둔 컴퓨터를 사용하고 있었다. 옆에는 내과의 사인 아내 루시가 있었다. 나는 다시 검사 결과를 넘겨봤다. 폐, 뼈, 간을 내가 배웠던 대로 위에서 아래로, 왼쪽에서 오른쪽으로, 앞에서 뒤로 살폈다. 진단을 바꿀 수 있는 무언가를 찾을 수 있을 것처럼.

루시와 나는 병원 침대에 함께 누웠다.

루시는 마치 대본이라도 읽듯 조용히 물었다. "진단이 바뀔 가능성이 있을까?"

"아니." 내가 대답했다.

우리는 마치 젊은 연인들처럼 서로를 꼭 끌어안았다. 우리 부부는 지난 한 해 동안 내 몸 속에서 암세포가 자라고 있지 않나 의심하면서도 그것을 사실로 믿거나 심지어 입밖에 내는 것조차 피해왔다.

반년 전, 극심한 요통과 함께 체중이 줄기 시작했다. 아침에 옷을 입을 때 벨트를 점점 더 안으로 당겨서 채우게 되었다. 나는 스탠퍼드 대학 동문인 1차 진료 의사를 만나러 갔다. 그녀의 동생이 신경외과 레지던트 시절 악성 전염병으로 갑작스레 목숨을 잃었기에, 그녀는 늘 어머니처럼 내 건강을 염려했다. 하지만 내가 그녀의 진료실 문을 열고 들어갔을 때는 다른 의사가 그 자리에 앉아 있었다. 내 동문은 출산휴가 중이었다.

나는 푸른색의 얇은 가운을 입고 차가운 진찰대에 누워 의사에게 내 증상을 설명했다. "35세, 원인을 알 수 없는 체중 감소, 전에 없었던 요통. 의사 면허 시험 문제라면 답은 분명 암이겠죠. 아니면 그냥 과로 때문일 수도 있고요. 잘 모르겠어요. 그러니까 MRI를 찍어서 확인해봐야겠어요."

"엑스레이부터 찍어보셔야 할 것 같아요." 의사가 말했다. 요통의 원인을 밝히고자 MRI를 찍는 것은 비용이 많이 드는 데다 MRI 남용은 최근 전국적으로 일어나고 있는 진료비 절감 운동의 주된 대상이었다. 하지만 정밀검사의 가치는 찾아내려는 것이 무엇인가에 달린 것이기도 하다. 암을 발견하는 데 엑스레이 검사는 거의 소용이 없다. 그렇지만 이런 초기 단계에서 MRI 검사를 주문하는 건 많은 의사에게 기본을 저버리는 행위나 다름없다. 의사는 다시 말을 이었다. "엑스레이가 완벽하지는 않지만, 그래도 그것부터 시작해야 맞아요."

"그러면 굴곡 신전 엑스레이를 촬영해보는 건 어때요? 이

상태에서 좀 더 현실적인 진단은 협부 척추탈위증이 아닐까요?"

벽에 걸린 거울로 의사가 뭔가 검색하는 모습이 보였다.

"협부 골절은 오 퍼센트 정도의 사람들에게서 발견되고, 청년기에 발생하는 요통의 흔한 원인이기도 하니까요."

"알겠어요, 그럼 말씀하신 대로 촬영해볼게요."

"고마워요." 내가 말했다.

의사 가운을 입었다고 권위적일 필요도 없고, 또 환자라고 고분고분할 필요도 없다. 사실 요통에 관해서라면 내가 그 의사보다 아는 것이 더 많았다. 신경외과 의사로서 수련해온 기간의 절반을 척추 장애에 할애했으니까. 아무래도 척추탈위증일 가능성이 컸다. 성인기 전반에 있는 사람 중 상당수가 이 증상을 보인다. 30대에 척추암? 그럴 가능성은 1만 분의 1도 되지 않는다. 그보다 100배는 더 흔하다 하더라도 암이 척추탈위증만큼 흔할 수는 없다. 어쩌면 나는 그저 겁이 나서 호들갑을 떨고 있었던 건지도 모른다.

엑스레이 촬영 결과는 괜찮아 보였다. 우리는 열심히 증상을 검토하고 신체의 노화 상태도 측정했다. 후속 진료 일정을 잡은 뒤 나는 진료실로 돌아가 그날 맡은 마지막 환자를 진료했다. 1차 진료 후 체중이 감소하는 속도가 줄고 요통도 참을 수 있는 수준으로 가라앉았다. 이부프로펜(소염진통제)을 적당량 복용하면 하루종일 버틸 만했다. 어쨌건 매일 열네 시간이나 일해야 하는 힘겨운 날들도 이제 얼마 남지 않았다. 의과 대학원 학생에서 신경외과 교수로 가는 여정이 거의 끝나가고 있었다. 혹독한 수련 기간도 벌써 10년이 지났고, 이제 열다섯 달만 더 버티면 지겨운 레지던트 생활과 완전한 이별이었다. 나는 상급자들로부터 인정받고 있었고, 전국 규모의 권위 있는 상도 받았으며, 여러 일류 대학에서 교수 자리를 제안받기도 했다. 스탠퍼드 내학의 교무국장은 최근 나를 불러 이렇게 말했다. "폴, 나는 자네가 어디에 지원하든 가장 유력한 채용 후보가 될 거라고 생각하네. 참고로 말하자면 우리도 곧 교수를 채용할 계획인데, 자네 같은 사람이 왔으면 좋겠어. 장담할 순 없지만 자네도 한번 생각해보게."

서른여섯 살에 나는 정상에 올랐다. 드디어 약속의 땅이 눈앞에 보였다. 길르앗에서 에리코까지, 그 너머 지중해까지.* 이제 주말 휴가도 떠날 수 있다. 벗신 보트에 루시와 앞

---

* 구약성시 여호수아기에 나오는 내용으로 약속의 땅 가나안에 도달하기 전에 거쳐야 하는 땅.

으로 태어날 우리 아이들을 태우고서. 근무 일정이 수월해지고 삶에 좀 더 여유가 생기면 허리 통증 또한 사라질 것이다. 그리고 마침내 아내에게 약속했던 모습의 남편이 될 수 있으리라.

그런데 몇 주 뒤 가슴에 심한 통증이 여러 차례 느껴졌다. 일하다 뭔가에 부딪쳤나? 늑골에 살짝 금이라도 간 걸까? 밤에 홑이불을 흠뻑 적실 만큼 땀을 많이 흘리기도 했다. 체중도 다시 줄기 시작했다. 이번엔 그 속도가 더 빨랐다. 79킬로그램이던 체중이 순식간에 66킬로그램까지 내려갔다. 기침이 끊임없이 이어졌다. 의심의 여지가 거의 없었다.

어느 토요일 오후, 나는 루시와 함께 샌프란시스코의 돌로레스 공원 풀밭에 누워 루시의 여동생을 기다리고 있었다. 그러다가 루시가 내 휴대전화 화면을 언뜻 봤는데, 마침 의학 데이터베이스 검색 결과가 뜨던 참이었다. '30~40대의 암 발생 빈도.'

"이게 뭐야?" 루시가 물었다. "당신이 아직도 걱정하고 있는지 몰랐네."

나는 대답하지 않았다. 무슨 말을 해야 할지 난감했기 때문이다.

"나한테 얘기 안 해줄 거야?" 루시가 물었다.

루시 역시 내 상태를 걱정해왔기에 속이 상한 모양이었다. 몸 상태에 관해 아무 말도 하지 않았으니 그럴 만했다. 멋진 삶을 약속해놓고 엉뚱한 삶을 들이대니 화를 내는 것도 당연했다.

　"왜 나한테 솔직하게 털어놓지 않은 거야? 무슨 이유라도 있어? 좀 말해봐." 루시가 말했다.

　나는 휴대전화 화면을 끄고 말했다.

　"아이스크림이나 먹자."

　우리는 다음 주 휴가 기간 동안 뉴욕에 사는 친한 대학 동창을 만날 계획이었다. 나는 충분히 숙면을 취하고 칵테일 몇 잔을 마시면 부부 사이도 좀 더 가까워지고 결혼 생활의 위기도 해소되리라 믿었다.

　하지만 루시는 생각이 달랐다.

　"난 당신이랑 뉴욕 안 갈 거야." 여행 며칠 전에 루시는 폭탄선언을 했다. 대신 일주일간 집을 떠나 다른 곳에 가 있겠다는 것이었다. 루시는 우리의 결혼 생활에 관해 진지하게 생각해볼 시간이 필요하다고 했다. 너무나 차분한 목소리에 내 현기증은 더 심해졌다.

"뭐? 안 돼." 내가 말했다.

"난 당신을 정말 사랑해. 그래서 지금 이 상황이 너무 혼란스러워. 우리는 부부잖아. 그런데 우리 관계에서 서로 바라는 게 다른 것 같아 걱정돼. 지금은 우리 사이에 거리감이 느껴져. 당신의 걱정거리를 지난번처럼 우연히 알고 싶지 않아. 내가 외롭다고 얘기하면 당신은 대수롭지 않게 넘겨 버리잖아. 이대로는 안 돼."

"다 괜찮아질 거야. 그냥 레지던트 생활 때문에 그런 거야." 내가 말했다.

정말 상황이 이 정도로 심각했나? 신경외과는 전문의 수련 과정 중에서도 가장 엄격하고 힘든 과정으로 악명이 자자했다. 그러니 결혼 생활에 큰 부담이 되는 것도 분명한 사실이었다. 루시가 이미 잠든 뒤 밤늦게 집에 돌아와서 곤죽이 된 채로 거실 바닥에 쓰러지는 일이 다반사였다. 마찬가지로 루시가 일어나기도 전, 아직 해도 뜨지 않은 새벽에 병원으로 출근하는 일도 많았다. 하지만 우리의 커리어는 바로 지금이 절정이었다. 많은 대학이 우리 부부를 함께 채용하고 싶어 했다. 신경외과엔 나를, 내과엔 루시를. 우리는 레지던트 과정의 최대 고비를 무사히 넘겼다. 이미 지겹도록 이야기한 부분 아니었나? 아내는 왜 하필 이런 때에 분통을

26

터뜨리는 걸까? 내 수련 과정은 이제 고작 1년밖에 남지 않았고, 나는 아내를 여전히 사랑한다. 늘 바라던 함께하는 삶이 이렇게니 손에 잡힐 듯 가까워졌는데, 루시는 그것도 모르고 정말 이렇게 어깃장을 놓으려는 건가?

"그냥 당신 수련 과정 때문이라면 나도 어떻게든 버틸 수 있어." 루시가 말했다.

"여태까지 함께 이겨냈으니까. 하지만 문제는 이거야, 만약 수련 과정 탓만은 아니라면? 대학 병원에서 전문의로 일한다고 과연 우리 상황이 좋아질까?"

나는 루시에게 그렇다면 여행은 그만두고 서로에게 좀 더 솔직해지는 시간을 갖자고 했다. 또한 몇 달 전에 그녀가 제안했던 부부 관계 상담도 받아보자고 했다. 하지만 루시는 혼자만의 시간이 필요하다는 뜻을 굽히지 않았다. 그 시경이 되자 흐릿하게 혼란스러운 상황은 사라지고 서운한 감정의 단단한 모서리만 남게 되었다. "좋아." 나는 대답했다. 만약 그녀가 떠나기로 했다면 우리 부부 관계는 끝난 것이다. 설사 내가 암 확진을 받더라도 루시에게는 말하지 않을 생각이었다. 그녀는 자기가 선택한 대로 자유롭게 살아가면 된다.

뉴욕으로 떠나기 전, 나는 젊은 사람들에게서 흔히 발생하는 암에 걸렸을 가능성을 배제하기 위해 슬쩍 몇 가지 진찰을 받아보았다. (고환종? 아니었다. 흑색종? 아니었다. 백혈병? 역시 아니었다.)

늘 그렇듯 신경외과 업무는 분주했다. 금요일로 접어드는 목요일 밤 나는 수술실에서 36시간 연속으로 근무하고 있었다. 거대 동맥류 수술, 대뇌동맥 우회로 수술, 동정맥 기형 수술 등의 매우 복잡한 수술이 차례로 진행되었다. 담당의가 들어왔을 때 나는 나지막이 고맙다는 인사를 하고서 벽에 기대어 몇 분 동안 등을 쭉 폈다. 병원을 나서기 직전, 간신히 흉부 엑스레이를 촬영했다. 이젠 집으로 가서 짐을 챙겨 공항으로 가야 했다. 만약 암이라면 친구들을 만나는 마지막 기회가 될 테고, 암이 아니라면 여행을 취소할 이유가 없었다.

나는 부랴부랴 집으로 가서 짐을 챙겼다. 루시가 나를 공항까지 태워다주면서, 부부 관계 상담 약속을 잡아놨다고 이야기했다.

공항 게이트를 들어서며 나는 루시에게 문자를 보냈다.

"당신도 여기 함께 있었으면 했어."

몇 분 뒤, 루시에게 답장이 왔다.

"사랑해. 돌아올 때 공항에서 기다릴게."

비행기를 타고 가는 중에 내 허리는 지독하게 뻣뻣해졌다. 친구들이 사는 뉴욕 주 북부로 가려고 그랜드 센트럴 터미널에 들어서지 온몸으로 통증이 번졌다. 지난 몇 달 동안, 나는 다양한 강도의 등 경련을 경험했다. 그냥 무시할 수 준의 통증에서부터 이를 갈며 말도 못할 정도의 통증, 바닥에 쓰러져 몸을 둥그렇게 말고 비명을 내지를 만큼 심한 통증에 이르기까지 다양했다. 이번 통증은 가장 극심한 편에 속했다. 나는 대기실의 딱딱하고 긴 의자에 누워 허리 근육이 뒤틀리는 걸 느꼈다. 이부프로펜은 아무 소용이 없었다. 고통을 감당하기 위해 숨을 내쉬면서, 눈물이 나오려는 걸 겨우 참고 경련이 일어나는 각 근육의 명칭을 속으로 불렀다. 척주세움근(erector spinae), 능형근(rhomboid), 활배근(latissimus), 이상근(piriformis)……

그러는 사이 경비원이 다가와서 말했다. "선생님, 여기 누워계시면 안 됩니다."

"죄송합니다." 나는 헐떡이며 말했다. "허리에, 경련이, 심해서요."

"그래도 여기 누워계시면 안 됩니다."

'죄송합니다. 제가 암에 걸려 죽어가는 중이라서요.'

혀끝에서 이런 말이 맴돌았다. 하지만 암이 아니라면? 이 정도 통증은 요통을 달고 사는 사람들에게는 별것 아닐지도 모른다. 나는 요통에 대해서 해부학적, 생리학적으로는 잘 알고 있었다. 환자들은 제각각의 고통을 제각각의 단어로 표현하며 호소한다. 하지만 나는 그 고통이 실제로 어떤 느낌인지 알지 못했다. 어쩌면 이게 그 불운의 조짐일지도 몰랐다. 어쩌면. 나는 그런 조짐을 인정하고 싶지 않은 것일 수도 있다. 어쩌면 암이라는 단어를 입 밖에 내기 싫었던 것인지도 모른다.

나는 몸을 일으켜 세운 뒤 다리를 절면서 승강장으로 향했다.

늦은 오후에 맨해튼에서 북쪽으로 약 80킬로미터 떨어진 허드슨 강 연안의 콜드 스프링에 있는 친구 집에 도착했다. 몇 년 동안 알고 지낸 십여 명의 절친한 친구들이 나를 반겼고, 그들의 환영 인사는 그들의 아이들이 시끄럽게 떠들어대는 소리와 뒤섞였다. 친구들과 일일이 포옹을 하는 사이 얼음처럼 차가운 어둠과 풍랑이 내 손에 몰려왔다.

"루시는 안 왔어?"

"갑자기 일이 생겼어." 내가 말했다. "출발하려는 순간에."

"정말 아쉽네."

"아, 가방 좀 내려놓고 잠깐 쉴까 하는데 괜찮지?"

나는 며칠만이라도 수술실에서 벗어나기를 고대해 왔다. 충분한 잠, 휴식, 기분전환, 그러니까 바로 평범한 일상의 맛. 그러면 허리 통증과 피로도 정상 수준으로 돌아오리라. 하지만 하루 이틀 지내보니 그런 기대는 헛된 것이었다.

이튿날, 나는 아침을 거르고 계속 잔 뒤 점심을 먹기 위해 휘청거리며 식탁으로 갔다. 카술레*와 게 다리 요리가 차려진 풍성한 식사였지만 다 먹을 수가 없었다. 저녁이 되자 나는 너무 피곤해서 잠자리에 들고 싶다는 생각밖에 없었다. 때때로 아이들에게 책을 읽어줬지만, 그들은 주로 내 근처에서 방방 뛰고 소리를 지르며 놀았다. ("얘들아, 폴 삼촌은 좀 쉬어야 한단다. 저쪽으로 가서 놀지 않을래?")

15년 전 지도원으로 잠가했던 여름 캠프가 문득 떠올랐다. 북부 캘리포니아의 한 호숫가에서 엄청나게 복잡한 싯발 뺏기 놀이를 하던 아이들은 《죽음과 철학(Death and philosophy)》이라는 책을 읽으며 앉아 있던 나를 장애물로 활용했다. 그 상황의 부조화를 떠올리면 웃음이 나곤 한다. 숲, 호수, 산, 새들의 지저귐이 한데 어우러진 장관과 네 살

● 고기와 콩을 넣어 뭉근히 끓인 요리.

짜리 행복한 꼬마들이 내지르는 비명 소리가 뒤섞인 가운데, 스무 살 청년이 죽음을 논하는 검은 표지의 작은 책에 코를 박고 있다니! 그리고 지금 이 순간 나는 그때와 비슷한 감정을 느꼈다. 다만 장소는 타호 호수가 아닌 허드슨 강이었고, 아이들은 낯선 이의 아이들이 아닌 내 친구들의 아이들이었으며, 내 주위의 삶과 나를 분리하고 있는 건 죽음을 논하는 책이 아니라 죽어가는 나 자신의 몸이었다.

셋째 날 밤, 나는 집주인인 마이크에게 예정보다 여행 일정을 줄여 다음날 돌아가겠다고 말했다.

"안색이 별로 안 좋아보이네. 괜찮은 거야?" 마이크가 물었다.

"위스키 한 병 가지고 어디 앉아서 이야기하는 건 어때?" 내가 말했다.

벽난로 앞에 앉은 나는 다시 말을 이었다. "마이크, 나 암에 걸린 것 같아. 그것도 좀 심각한."

이때 처음으로 나는 암이란 단어를 입 밖에 꺼냈다.

"그래." 마이크가 말했다. "농담치고는 별로인 것 같은데?"

"농담이 아니야."

마이크는 잠시 침묵한 뒤 입을 뗐다. "뭐부터 물어봐야 할지 모르겠네."

"일단 내가 암에 걸렸다는 게 객관적인 사실은 아니야. 그냥 그렇게 확신할 뿐이지. 지금 내 상태가 전형적인 암환자의 증상이니까. 내일 돌아가서 확인할 거야. 나도 내가 틀렸으면 좋겠어."

마이크는 내가 힘들게 가방을 들고 가지 않아도 되도록 택배로 짐을 부쳐주겠다고 했다. 그리고 다음 날 아침 일찍 나를 공항까지 태워다줬다. 여섯 시간 뒤 나는 샌프란시스코에 내렸다. 비행기에서 내리자 휴대전화가 울렸다. 1차 진료를 봐준 의사였다. 그녀는 흉부 엑스레이 촬영 결과를 알려주었다. 내 폐는 깨끗하지 않고, 마치 카메라 조리개를 너무 오래 열어두고 찍은 사진처럼 뿌옇다고 했다. 하지만 의사는 이런 결과가 무엇을 의미하는지는 확신하지 못하겠다고 했다.

아니, 그녀는 그 의미를 알고 있었을 것이다.

나 역시 알고 있었으니까.

루시가 차를 몰고 공항까지 마중을 나왔다. 하지만 나는 집에 도착할 때까지 아무 말도 하지 않았다. 우리는 소파에 앉았고, 나는 루시에게 이야기를 꺼냈다. 그녀 역시 알고 있었다. 루시는 내 어깨에 머리를 기댔고, 그 순간 우리 사이의 서먹한 거리는 사라졌다.

"난 당신이 필요해." 내가 속삭였다.

"난 절대로 당신 곁을 떠나지 않을 거야." 루시가 말했다.

우리는 스탠퍼드 대학 병원에서 신경외과 담당의로 근무하는 친구에게 전화를 걸어 입원 수속을 부탁했다.

나는 환자용 플라스틱 팔찌를 끼고 익숙한 연푸른색 환자복을 입었다. 그리고 낯익은 간호사들을 지나 진찰실로 들어섰다. 그곳은 내가 몇 년 동안 수백 명의 환자를 진찰한 방이었다. 나는 이 방에 앉아서 환자들에게 말기 진단을 내리고 복잡한 수술에 대해 설명했다. 또 완쾌되어 기쁜 표정으로 일상에 돌아가게 된 환자들에게 축하의 말을 건네기도 했다. 그리고 이 방에서 환자들의 사망 진단을 내리기도 했다. 나는 이 방에서 의자에 앉아 있기도 했고, 세면대에서 손을 씻기도 했고, 흰색 보드에 처방을 휘갈겨 쓰기도 했고, 달력을 넘기기도 했다. 아주 피곤해서 쓰러질 것 같으면 이 방에 있는 진찰용 침대에 누워 자고 싶다는 생각을 하기도 했다. 이제 나는 그 침대에, 완전히 깬 상태로 누워 있다.

전에 만난 적이 없는 젊은 간호사가 머리를 방 안으로 살짝 들이밀고 말했다.

"의사 선생님께서 곧 오실 거예요."

그 말과 함께 내가 꿈꿔왔으며 곧 실현되려던 미래, 그리고 오랜 세월 부단히 노력하며 도달하려 했던 삶의 정점은 사라지고 밀었다.

1

나는
아주
건강하게
시작했다

주님의 손이 나에게 내리셨다.

그분께서 주님의 영으로 나를 데리고 나가시어,

넓은 계곡 한가운데에 내려놓으셨다.

그곳은 뼈로 가득 차 있었다.

그분께서는 나를 그 뼈들 사이로 두루 돌아다니게 하셨다.

그 넓은 계곡 바닥에는 뼈가 대단히 많았는데,

그것들은 바싹 말라 있었다.

그분께서 내게 말씀하셨다.

"사람의 아들아, 이 뼈들이 살아날 수 있겠느냐?"

———

에제키엘서 37장 1~3절

나는 결코 의사가 되지 않으리라 확신했다. 나는 집 바로 위의 사막 고원에 팔다리를 쭉 뻗고 누워 느긋하게 쉬는 중이었다. 그날 아침, 여러 의사 친척 중 한 명인 삼촌이 대학 진학을 앞둔 내게 어떤 직업을 선택할 생각이냐고 물었을 때, 그 질문은 내 귀에 들어오지도 않았다. 굳이 대답을 하라면 아마 작가라고 말했으리라. 하지만 솔직히 앞으로의 직업을 생각하는 건 우스꽝스럽게 느껴졌다. 몇 주 뒤면 나는 애리조나의 이 작은 도시를 떠날 예정이었다. 나는 마치 탈출 속도에 다다라 기묘하고 흥미로운 우주로 뛰어들기 직전의, 윙윙거리는 전자 상태였고, 경력의 사다리를 차근차근 오르는 일 따위는 알고 싶지도 않았다.

나는 햇빛을 흠뻑 받으며 추억에 잠겼다. 밝은 미래를 약속해줄 새로운 거처인 스탠퍼드 대학 기숙사에서 965킬로미터 떨어진 흙바닥에 누워 1만 5,000명이 사는 이 도시의 아담한 크기를 실감하고 있었다.

내가 아는 의학이란 부재(不在)였다. 구체적으로 말하자면 아버지의 부재. 내 어린 시절 아버지는 늘 새벽에 출근하고 밤늦게 돌아와 식은 음식을 데워 먹었다. 내가 열 살 때, 아버지는 우리(열네 살, 열 살, 여덟 살짜리 남자 꼬맹이들)를 데리고 맨해튼 북쪽의 오밀조밀하고 풍족한 동네인 뉴욕 주 브롱크스빌에서 애리조나 주 킹맨으로 이사했다. 킹맨은 두 개의 산맥에 둘러싸인 사막의 계곡 도시였고, 외지 사람들은 대개 다른 도시로 가다가 기름이나 넣으러 들리는 곳 정도로 알고 있었다. 아버지는 그곳의 태양이나 저렴한 생활비(아들들을 전부 원하는 대학에 보내려면 어쩔 수 없었으리라), 아니면 심장병 전문의로 개업할 수 있는 기회에 이끌렸을 것이다.

아버지는 환자들에게 아주 헌신적이었고, 덕분에 곧 지역 공동체에서 존경받는 인물이 되었다. 늦은 밤이나 주말에야 얼굴을 보는 아버지는 부드러운 애정과 차가운 근엄함을 함께 보여주었다. 우리를 안고 볼에 입을 맞추며 해주는 말이 어찌나 냉정하던지. "최고가 되는 건 아주 쉬운 일이란다. 최고인 사람을 찾아서 그 사람보다 1점만 더 받으면 돼." 아버지는 부성애도 농축해서 발휘할 수 있는 거라고 나름의 타협점을 찾았던 것 같다. 그런 결과는 짧고 강렬한, 진심 어린 애정의 폭발이었다. 다른 아버지들은 어떻게 자식들을 대하는지 모르겠지만 나는 만약 이것이 의사가 치러야 하는 대가라면 너무 시나치다고 생각했다.

이렇게 사막 고원에 누워 있자니 도시 경계 바로 너머의 서벳 산 기슭, 붉은 바위 사막 가운데에 있는 우리 집이 보였다. 사막에는 메스키트 나무와 회전초, 배의 노 모양으로 생긴 선인장이 군데군데 자라고 있었다. 여기서는 난데없이 모래바람이 일어나 회오리를 치며 시야를 흐릿하게 만들다가 사라지곤 했다. 사막은 저 멀리 보이지 않는 곳까지 뻗어 있었다. 우리 집 애완견인 맥스와 니프는 이런 환경과 자유를 지겨워하지도 않고 마음껏 즐겼다. 녀석들은 매일 사막으로 모험을 나가 새로운 보물들을 주워왔다. 그 보물이란 사슴의 다리, 짐승들이 나중에 먹으려고 남겨둔 약간의 토끼 고기, 햇빛에 마른 말의 머리뼈, 코요테의 턱뼈 같은 것들이었다.

　나와 내 친구들 역시 사막의 자유를 사랑했다. 우리는 오후 시간 사막을 탐험하고 돌아다니며 짐승의 뼈와 사막에서 보기 드문 개울을 찾아내기도 했다. 수풀이 별로 없는 넓은 가로수 길과 과자 가게가 있는 북동부의 교외에서 살았던 내게 바람 부는 야생의 사막은 이질적이면서도 매혹적인 광경이었다. 열 살 때 처음으로 혼자서 사막을 거닐다가 낡은 관개용 쇠살대를 발견했다. 나는 그것을 손가락으로 비집어 열고 들어올렸다. 그러자 얼굴에서 고작 몇 센티미터 떨어진 곳에 흰색의 비단 같은 거미집이 세 개 있었다. 그리고 거미집마다 검은색의 번들거리고 둥글납작한 것들이 매달려 가늘고 긴 다리로 움직이고 있었다. 반짝거리는 검은 몸통, 무서운 핏빛 모래시계 문양을 보는 순간 겁이 더럭 났다. 각각의 거미에는 엷은 색의 주머니가 하나씩 달려 강하게 고동치고 있었고, 금방이라도 무수한 블랙 위도 거미들이 주머니를 찢고 우르르 몰려나올 것만 같았다. 나는 겁에 질려 쇠살대를 쾅 닫고는 휘청거리며 뒤로 물러섰다. 이 지역 속설(블랙 위도 거미에게 물리는 건 가장 치명적인 일이다), 인간과는 전혀 다른 끔찍한 자세, 검은빛 몸통의 붉은 모래시계 무늬, 이 모든 것들이 한꺼번에 몰려오자 경악할 수밖에 없었다. 그때 이후 나는 몇 년 동안 악몽에 시달렸다.

사막은 공포가 가득한 곳이었다. 타란툴라, 늑대거미, 갈색은둔거미, 바크 전갈, 선갈붙이, 지네, 다이아몬드백, 사이드와인더*, 모하비방울뱀 등이 우글거렸다. 결국엔 이런 놈들이 익숙해지다 못해 편해지기까지 했다. 친구들과 나는 늑대거미의 둥지를 발견하면, 개미를 그 끄트머리에 떨어뜨려놓고 개미가 거미줄에서 벗어나려고 발버둥칠 때 그 진동이 거미집의 중심에 있는 어두운 구멍으로 전해지는 모습을 구경하곤 했다. 거미가 구멍에서 불쑥 뛰어나와 운이 다한 개미를 턱으로 붙잡는 치명적인 순간을 기대하면서.

'지역 속설'은 내게 도시 전설의 시골 버전 같은 단어가 됐다. 내가 처음 접한 지역 속설은 사막의 생물들에게 요술을 부리는 능력이 있다는 것이었다. 예를 들어 독도마뱀은 고르곤** 같은 존재로 통했다. 사막에서의 삶이 어느 정도 익숙해진 뒤에야 우리는 뿔 달린 토끼 이야기 같은 일부 지역 속설들이 도시 사람들을 혼란시키고 지역민들을 즐겁게 하기 위해 일부러 만들어낸 것임을 알게 되었다. 한번은 베를

---

* 다이아몬드백은 등에 다이아몬드 무늬가 있는 뱀, 사이드와인더는 방울뱀의 일종.
** 그리스 신화에 나오는 세 자매 괴물로 머리카락이 뱀으로 되어 있고, 눈이 마주친 사람은 돌로 변했다고 한다.

린에서 교환 학생으로 온 사람들에게, 특정한 종의 코요테
는 선인장 안에 살고 사냥감(가령 이상한 낌새를 전혀 못 채는
독일인들 같은)을 공격할 때 9미터 넘게 뛰어오를 수 있다는
얘기를 한 시간이나 떠들기도 했다. 하지만 모래바람 속 어
디에 진실이 있는지 정확히 아는 사람은 없다. 터무니없이
보이는 지역 속설들 속에 진실처럼 느껴지는 것도 있기 때
문이다. 예를 들면 '신발 속에 전갈이 들어갔는지 꼭 확인하
라' 같은 지역 속설은 분명 합리적이었다.

열여섯 살이 되면서 나는 동생인 지반을 학교까지 태워
다주는 일을 맡았다. 어느 날 아침, 나는 늘 그랬듯 시간을
지체했다. 지반은 지각하는 벌로 방과 후에 학교에 남는 건
질색이니까 제발 좀 서두르라고 소리쳤고, 나는 계단을 뛰
어 내려가 현관문을 열었다. 그 순간, 졸고 있는 방울뱀을 거
의 밟을 뻔했다. 그것도 180센티미터는 족히 넘을 만큼 기
다란 놈을. 문간에 똬리를 튼 방울뱀을 죽이면 그 짝과 새끼
들이 그렌델의 어머니*처럼 복수하려고 찾아와 영원히 둥지
를 튼다는 지역 속설이 있었기에, 나와 지반은 뱀을 치우기

---

* 그렌델은 고대 영국의 영웅서사시 《베오울프》에 등장하는 반인반수의 괴물로, 밤마
다 왕의 궁전을 찾아가 잠자는 사람들을 살해하다가 베오울프에게 퇴치당한다. 그
렌델의 어머니는 복수하려 하지만 베오울프에게 살해당한다.

로 마음먹고 제비뽑기를 했다. 운이 좋은 쪽이 삽을, 그렇지 못한 쪽이 두꺼운 정원용 장갑을 끼고 베갯잇을 들기로 했다. 진지하면서도 우스운 춤사위를 벌이면서 우리는 가까스로 베갯잇 안에 뱀을 집어넣었다. 그런 뒤 나는 올림픽에 출전한 해머던지기 선수처럼 베갯잇을 사막 한가운데로 휙 던졌다. 베갯잇은 오후 늦게 다시 찾아올 생각이었다. 그래야 어머니에게 혼나지 않을 테니까.

어린 시절 우리에게 가장 큰 수수께끼는 아버지가 왜 애리조나의 킹맨이라는 사막 도시(우리가 점점 소중하게 생각하게 된 도시)로 가족을 데려가기로 결심했을까가 아니라, 어머니를 어떻게 이사하도록 설득했을까 하는 것이었다. 아버지와 어머니는 인도 남부에서 뉴욕으로 그야말로 세계를 가로지르는 사랑의 도주를 했다. 기독교 신자인 아버지와 힌두교 신자인 어머니의 결혼은 양쪽 집안의 축복을 받지 못했으며, 양가는 수년 동안 사이가 좋지 않았다. 외할머니는 내 이름인 폴을 단 한 번도 인정하지 않았고 가운데 이름인 수디르로 나를 불렀다. 결국 애리조나까지 오게 된 어머니는 뱀을 볼 때마다 극심한 공포에 시달렸고 시간이 지나도 나아지지 않았다. 뱀 중에서도 가장 작고 귀여우며 별다른 해를 끼치지 않는 레드레이서를 만나도 어머니는 집이 떠나갈 듯 비명을 지르며 방으로 들어가 문을 걸어 잠근 뒤 갈퀴, 식칼, 도끼 등 가장 크고 날카로운 도구로 무장했다.

뱀 때문에 끊임없이 불안해하면서도 어머니가 가장 걱정했던 건 자식들의 미래였다. 이사하기 전, 형 수만은 최상위권 대학 진학률이 높은 뉴욕 주 웨스트체스터 카운티의 고등학교를 거의 마친 상태였다. 킹맨으로 이사한 뒤 얼마 되지 않아 형은 스탠퍼드 대학에 합격했고 곧 집을 떠났다. 하지만 우리는 킹맨이 웨스트체스터와 다르다는 걸 알게 되었다. 어머니는 모하비 카운티의 공립학교 관련 통계를 알아보고는 실의에 빠졌다. 최신 미국 인구 조사에서 킹맨은 미국 전체를 통틀어 가장 교육 수준이 낮은 지역으로 꼽혔다. 그곳의 고등학교 중퇴율은 무려 30퍼센트를 웃돌았다. 대학에 진학하는 학생들도 몇 되지 않는 데다가 아버지가 우수하다고 인정하는 하버드 입학생은 한 명도 없었다. 조언을 구하기 위해 어머니는 대서양 연안의 부촌에 사는 친구들과 친척들에게 전화를 걸었는데, 일부는 동정적인 반응을 보였으나 갑작스럽게 교육의 불모지로 떨어진 칼라니티 집안 아이들과 자기 아이들이 더는 경쟁할 필요가 없음을 기뻐하는 사람들도 있었다.

그날 밤, 어머니는 침대에 홀로 누워 흐느껴 울었다. 빈약한 학교 제도가 자식들의 앞날을 가로막을까 봐 걱정한 어머니는 어딘가에서 입시용 독서 목록을 구해왔다. 대학에서 생리학 공부를 하다가 스물세 살에 결혼하고 낯선 나라에서 세 명의 자식을 키우느라 어머니 자신도 그 목록에 있는 책을 다 읽지 못했다. 하지만 자식들에게는 어떻게든 다 읽히려 했다. 나는 어머니의 강요로 열 살 때 《1984》를 읽었는데, 책에 나오는 성애 장면에 얼굴이 화끈거리기도 했지만 언어에 대한 깊은 사랑과 관심을 키울 수 있었다.

우리 형제는 추천 도서들을 체계적으로 읽어나가면서 무수한 작품들과 작가들을 만났다. 《몽테크리스토 백작》, 에드거 앨런 포, 《로빈슨 크루소》, 《아이반호》, 니콜라이 고골, 《모히칸 족의 최후》, 찰스 디킨스, 마크 트웨인, 제인 오스틴, 《빌리 버드》……. 열두 살이 되면서 나는 목록에서 직접 책을 골라 읽기 시작했고, 형이 대학에서 읽었다며 《군주론》, 《돈키호테》, 《캉디드》, 《아서 왕의 죽음》, 《베오울프》, 헨리 데이비드 소로, 장 폴 사르트르, 알베르 카뮈의 작품들을 보내주었다. 그중 몇몇 작품은 나에게 큰 영향을 미쳤다. 《멋진 신세계》를 읽으면서 나는 도덕 철학의 기초를 쌓았고, 그 책을 대학 입학 논술 주제로 삼아 삶에서 가장 중요한 것은 행복이 아니라는 주장을 펼쳤다.《햄릿》은 내게 사춘기의 위기가 닥칠 때마다 큰 힘이 되어주었다.

〈수줍어하는 애인에게〉를 비롯한 낭만시들은 나와 내 친구들이 고등학교 시절 이런저런 즐겁고 자잘한 사고를 치는 계기가 되기도 했다. 예를 들면, 우리는 종종 밤에 몰래 집을 빠져나가 치어리더 팀 주장의 방 창문 아래에서 〈아메리칸 파이〉라는 노래를 부르곤 했다. 그 아이의 아버지가 목사니까 우리에게 총을 쏘지는 않을 거라고 생각했다. 한번은 또 밤늦게 엉뚱한 장난을 치고 새벽에 집에 들어가다가 어머니에게 걸리고 말았다. 어머니는 십 대들이 손대는 마약의 이름을 하나도 빠짐없이 열거하며 집요하게 추궁했지만, 정작 내가 그때까지 경험했던 가장 지독한 마약은 자신이 지난주에 건네준 낭만시집이라는 걸 전혀 몰랐다. 책은 잘 다듬어진 렌즈처럼 세계를 새로운 시각으로 보여주는 가장 가까운 친구였다.

자식에 대한 교육열이 대단했던 어머니는 우리 집에서 가장 가까운 대도시인 라스베이거스까지 북쪽으로 160킬로미터 되는 거리를 운전해 우리를 데려다주었고, 그 덕분에 우리는 예비 대학 진학 적성 시험(PSAT), 대학 진학 적성 시험(SAT), 대학 입학 학력고사(ACT)를 치를 수 있었다. 이에 그치지 않고 어머니는 교육위원회에 참석하여 교사들에게 교육과정에 AP제도*를 도입하라고 요구했다. 어머니는 정말 대단한 분이었다. 킹맨의 학교 제도를 바꾸는 일에 발 벗고 나섰고, 실제로 바꾸어놓았다. 도시를 둘러싸고 있는 두 개의 산맥도 이제 우리를 가로막는 벽이 될 수 없고 그 너머에 우리의 미래가 펼쳐져 있다는 분위기가 학교에 감돌았다.

졸업반이 되었을 때 차석 졸업생이자 내가 아는 가장 가난한 아이였던 절친한 친구 리오는 상담교사로부터 이런 말을 들었다. "넌 머리가 좋잖니. 그러니까 군대에 가야지."

리오는 나중에 그 일을 얘기하며 내게 이렇게 말했다. "무슨 빌어먹을 소리야. 네가 하버드나 예일이나 스탠퍼드에 갈 거라면 나도 갈 거야."

내가 스탠퍼드에, 리오가 예일에 입학했을 때 나는 더할 나위 없이 행복했다.

여름이 지나갔다. 스탠퍼드는 다른 대학보다 한 달 늦게 학사 일정을 시작하기 때문에 친구들은 나를 남겨두고 뿔뿔이 흩어졌다. 오후가 되면 나는 혼자 사막으로 들어가 낮잠

* 우수한 학생이 고등학교에서 대학 과정을 미리 이수할 수 있도록 하는 제도.

을 자고 이런저런 생각을 하다가 킹맨의 한적한 카페에서 일하는 여자 친구 애버게일이 퇴근할 때쯤 사막에서 빠져나왔다. 사막에는 산을 통해 도시로 들어가는 지름길이 있었고, 차를 모는 것보다는 산을 타는 게 더 재미있었다. 애버게일은 이십 대 초반의 스크립스 대학 학생으로, 학자금 대출 부담을 덜기 위해 한 학기 휴학을 하고 등록금을 모으는 중이었다. 나는 세상 물정에 밝고 대학에서만 배울 수 있는 비밀들(그녀는 심리학 전공이었다)을 아는 듯한 그녀의 모습에 매력을 느꼈다. 우리는 애버게일의 근무가 끝나는 시간에 자주 만났다. 그녀는 몇 주 후면 내가 만날 새로운 세계, 그 은밀한 세계를 미리 귀띔해주는 전령과도 같았다.

어느 날 오후, 낮잠에서 깨어나 하늘을 올려다보니, 내가 시체처럼 보였는지 콘도르 몇 마리가 빙빙 맴돌고 있었다. 시계를 봤더니 거의 세 시였다. 이러다간 약속 시간에 늦는다. 나는 청바지에 묻은 먼지를 털고는 사막을 가로질러 뛰어갔다. 모래 바닥이 인도로 바뀌면서 건물들이 나타나기 시작했고 거리의 모퉁이를 돌자 애버게일이 빗자루로 카페 바닥을 쓸고 있는 모습이 보였다.

"에스프레소 기계는 이미 청소했어. 오늘 아이스 라테는 마감이야." 애버게일이 말했다.

바닥 청소가 끝나자 나는 카페 안으로 들어갔다. 애버게일은 금전출납기 쪽으로 걸어가더니 책 한 권을 가져와 내게 툭 던지며 말했다.

"자, 이 책 좀 읽어봐. 넌 항상 고상한 헛소리만 읽더라. 이제 저속한 책도 한번 읽어볼 때가 됐어."

애버게일이 준 책은 제러미 레븐의 500쪽짜리 소설,《사탄: 불운한 캐슬러 박사가 그에게 행한 심리요법과 치료 (Satan: His Psychotherapy and Cure by the Unfortunate Dr. Kassler, J.S.P.S.)》였다. 나는 그 책을 집으로 가져가 하루 만에 다 읽었다. 고상한 책은 아니었다. 재미라도 있어야 할 테지만 그렇지도 않았다. 하지만 정신은 뇌의 작용일 뿐이라고 그 소설이 넌지시 던지는 가설이 충격적이었다. 세상을 순진무구하게만 바라보던 내 시각을 뒤흔들어놓았다. 물론 그 가설은 사실임에 틀림없다. 그렇지 않다면 뇌가 하는 일이 대체 무엇이란 말인가? 우리는 자유의지를 갖고 있지만, 또한 생물학적인 유기체이기도 하다. 뇌 역시 하나의 생체 기관인 만큼 물리학 법칙의 대상이 되는 게 당연하다. 문학은 인간의 의미를 다채로운 이야기로 전하며, 뇌는 그것을 기능케 해주는 기관이다. 내겐 그런 사실이 마법처럼 느껴졌다. 그날 밤 내 방에서 나는 열 번은 넘게 읽어본 붉은색의 스탠퍼드 대학 강의 안내 책자를 펴고 형광펜을 집어 들었다. 그리고 이미 표시해둔 문학 수업들 외에, 생물학과 신경과학 강의도 찾아보기 시작했다.

　몇 년 뒤, 나는 여전히 장래의 직업에 대해 별 생각이 없었지만, 영문학과 인간 생물학 학위 과정을 거의 마쳐가고 있었다. 진지하게 말하자면, 나는 무언가를 성취하기보다는 이해하려고 노력하는 일에 더 끌리는 편이었다. 무엇이 인간의 삶을 의미 있게 하는가? 뇌의 규칙을 가장 명쾌하게 제시하는 것은 신경과학이지만 우리의 정신적인 삶을 가장 잘 설명해주는 것은 문학이라는 내 생각에는 변함이 없었다. 삶의 의미를 온전히 다 알 수는 없겠지만 인간관계나 도덕적 가치와 떨어뜨려 생각할 수는 없을 것 같았다. 인생의 무의미와 고독, 그리고 인간의 상호 유대감에 대한 절박한 추구를 이야기하는 T. S. 엘리엇의 시 《황무지》는 내게 깊은 울림을 주었다. 그러다 보니 어느새 엘리엇의 은유가 내 말투에도 스며들게 되었다. 다른 작가들에게도 공감되는 부분이 있었다. 블라디미르 나보코프는 우리 자신이 고통받을 때 다른 사람의 명백한 고통에 얼마나 무감각해지는가에 주목

했다. 조지프 콘래드는 잘못된 의사소통이 사람들의 삶에 얼마나 큰 영향을 줄 수 있는지 특유의 명쾌한 감각을 통해 보어주었다. 나는 문학이 다른 사람의 경험을 비추어줄 뿐만 아니라, 도덕적 반성에 도움이 되는 소재를 가장 풍부하게 제공한다고 믿었다. 분석철학의 형식 윤리학에 살짝 발을 담가본 적이 있는데, 그것은 지독히도 무미건조했고 실제 인간 삶의 혼란스러움과 무게감을 완전히 놓치고 있었다.

대학 시절 내내, 인간의 의미를 찾으려는 금욕적이고 학구적인 내 연구는 그 의미를 만들어내는 인간관계를 쌓고 강화해나가려는 충동과 갈등을 일으키곤 했다. 반성하지 않는 삶이 살 가치가 없다면, 제대로 살지 않은 삶은 뒤돌아볼 가치가 있을까? 2학년 여름에 나는 두 개의 일자리에 지원했다. 하나는 애틀랜타 여키스 영장류 연구 센터의 인턴이었고, 다른 하나는 시에라 캠프의 수습 요리사였다. 자연 그대로의 풍광을 고이 간직한 폴른 리프 호수 연안에 있는 시에라 캠프는 스탠퍼드 동문들의 가족 휴양지로, 인근에 엘도라도 국유림의 디실레이션 자연보호구역이 있어 특유의 황량한 풍경도 감상할 수 있다. 캠프를 홍보하는 안내 책자는 인생 최고의 여름을 보낼 수 있다고 약속했다. 캠프로부터 채용 합격 소식을 듣자 나는 놀라면서도 우쭐한 기분이

들었다. 하지만 짧은꼬리원숭이들이 기초적인 형태의 문화를 갖고 있다는 사실을 얼마 전에 배웠기 때문에, 여키스에 가서 의미 자체의 자연적인 기원을 보고 싶은 마음도 있었다. 다시 말해, 나는 의미를 연구할 것인가 아니면 경험할 것인가의 기로에 서 있었다.

최대한 결정을 미루다 결국 캠프에 가기로 마음먹고 내 결정을 알리기 위해 생물학 지도 교수의 연구실로 찾아갔다. 연구실에 들어서자 그는 늘 그랬던 것처럼 책상에 앉아 학술지를 읽고 있었다. 작은 눈에 조용하고 온화한 성격인 그가 내 계획을 듣고는 완전히 딴 사람이 되었다. 눈을 번쩍 뜨고 얼굴을 붉히면서 침을 마구 튀기며 말했다.

"뭐? 과학자랑…… 요리사 사이에서 고민한 건가?"

마침내 학기가 끝났고 나는 꼬불꼬불한 산길을 따라 캠프로 향했다. 인생에서 잘못된 선택을 한 것은 아닐까 여전히 걱정이 되긴 했지만 그런 의심은 얼마 가지 않아 사라졌다. 캠프는 젊을 때 할 수 있는 목가적인 경험을 모두 선사하겠다는 약속을 지켰다. 호수와 산과 사람들은 아름다웠고, 그곳에서 겪는 경험과 대화와 우정은 더없이 풍요로웠다. 보름달이 뜨는 밤에는 거친 들판에 달빛이 흘러넘쳐 전등 없이도 돌아다닐 수 있을 정도였다.

우리는 새벽 두 시에 길을 나서 해 뜨기 직전에 가장 가까운 산봉우리인 탈락 산 정상에 오르곤 했다. 아래로 펼쳐진 고요한 호수에 별이 총총하게 박힌 맑은 밤하늘이 아름답게 비치고 있었다. 거의 3000미터 높이의 봉우리에서 우리는 침낭 안에 들어가 서로 가까이 붙어 누워, 누군가가 사려 깊게 준비해온 커피를 마시며 차디찬 바람을 이겨냈다. 그런 다음 차분히 앉아서 동쪽 지평선이 밝아오며 하늘이 푸른빛으로 변하고 별들이 천천히 지워지는 모습을 지켜보았다. 희붐한 하늘이 넓고 높이 퍼져나가다 첫 햇살이 나타났다. 저 멀리 타호 호수 남쪽의 도로는 출근하는 사람들로 생기를 띠기 시작했다. 하지만 뒤로 머리를 길게 빼면 새벽녘의 푸른빛은 아직 하늘의 절반 정도밖에 퍼지지 못했고, 서쪽 하늘의 어두운 밤은 여전히 정복되지 않은 채 남아 있었다. 칠흑의 하늘에 별들이 희미하게 빛나고, 보름달은 여전히 제자리를 지키고 있었다. 동쪽을 보면 환한 빛이 나를 향해 내리비치지만, 서쪽을 보면 도무지 물러설 것 같지 않은 밤하늘이 버티고 있었다. 그 어떤 철학자도 낮과 밤 사이의 이 광경만큼 자연의 숭고함을 잘 설명하지 못할 것이다. 마치 하느님이 "빛이 있으라" 하고 말하는 것 같은 순간이 있다. 신, 지하, 우주의 이런 광대무변함 속에서는 스스로가 작은 알갱이처럼 보잘것없이 느껴진다. 그러나 절벽의 경사면에 두 발을 딛고 서 있으면 자연의 장엄함 속에서 자신의 존재감을 재확인하게 된다.

시에라 캠프에서 보낸 여름은 아마 여느 다른 캠프와 다를 바 없었겠지만, 나는 매일 삶의 활기를 느꼈고 의미 있는 인연을 맺었다. 몇몇 밤에는 식당에 모여서 캠프의 부관리자인 모와 함께 위스키를 홀짝이기도 했다. 모는 영문학 박사 과정 중에 휴학한 스탠퍼드 동문이었다. 우리는 그와 함께 문학은 물론이고 청소년기 이후의 삶에서 부딪치는 무거운 문제들에 대해 이야기를 나누었다. 그는 다음 해에 학교로 다시 돌아갔고, 나중에 처음으로 출판된 자신의 단편 소설을 내게 보내주었는데, 거기에는 우리가 함께 보낸 시간이 이렇게 요약되어 있었다.

내가 원하는 게 무엇인지 불현듯 깨닫는다. 캠프 지도원들이 나를 화장할 장작더미를 쌓아줬으면 좋겠다…… 나를 태우고 남은 재가 떨어져 모래와 뒤섞였으면 좋겠다. 흩어진 나뭇가지 사이에서 내 뼈를 잃고, 모래 사이에서 내 이를 잃었으면…… 나는 아이나 노인의 지혜라는 말을 믿지 않는다. 하나의 순간, 하나의 정점이 있다. 쌓이고 쌓인 경험들이 삶의 세부사항들에 의해 마모되어버리는. 바로 이런 순간이 우리가 살아가면서 가장 현명 해지는 순간이다.

학교로 돌아온 후, 나는 더 이상 원숭이들이 그립지 않았다. 삶은 풍요롭고 충만하게 느껴졌고, 그후 2년 동안 정신적인 삶에 대해 더 깊이 이해하려고 노력하면서 그런 충만함은 계속 이어졌다. 나는 무엇이 삶을 의미 있게 만드는지 알기 위해 문학과 철학을 공부하고, 유기체들이 세상에서 의미를 찾는 데 뇌가 하는 역할을 알기 위해 신경과학을 공부하면서 기능적 자기공명영상(fMRI) 연구소에서 일했다. 또한 소중한 친구들과 이런저런 엉뚱한 장난을 치며 인간관계를 탄탄하게 다졌다. 우리는 몽골 사람처럼 옷을 입고 학교 구내식당에 들이닥치기도 하고, 정체를 알 수 없는 가짜 동아리를 만든 뒤 기숙사에서 가입 권유 행사를 벌이기도 했다. 또 고릴라로 분장해서는 버킹엄 궁전 앞에서 우스꽝스러운 자세를 취하기도 하고, 한밤중에 메모리얼 교회에 잠입하여 바닥에 드러누운 채 애프스*에 울려 퍼지는 우리 목소리를 듣기도 했다. 그 외에도 여러 장난을 쳤다. 그러다

---

* 교회 동쪽 끝에 있는 반원형 부분.

가 버지니아 울프가 아비시니아 왕족으로 분장하고 전함에 타는 장난을 쳤다는 사실을 알고서는 기가 죽어 우리의 사소한 장난을 자랑하고 다니는 일을 그만두게 되었다.

4학년이 되어 마지막 신경과학 강의들 중 하나인 '신경과학과 윤리' 수업을 들으면서 심각한 뇌 손상을 입은 사람들이 생활하는 시설에 들른 적이 있다. 접수처로 들어가자 서글프게 울부짖는 소리가 우리를 맞았다. 삼십 대로 보이는 친절한 여자 안내인이 우리에게 자기소개를 하는 동안, 나는 대체 그 통곡 소리가 어디서 나는지 눈으로 열심히 찾았다. 접수대 뒤에 있는 큰 텔레비전에서는 어떤 드라마가 소리 없이 방영되고 있었다. 화면 가득 푸른 눈에 흑갈색 머리를 예쁘게 손질한 백인 여자가 흥분하여 머리를 흔들며 카메라 밖에 있는 누군가에게 애원하고 있었다. 곧 줌아웃이 되자 강한 턱에 틀림없이 굵고 쉰 목소리를 가졌을 법한 애인이 등장했다. 두 사람은 뜨겁게 포옹했다. 그와 동시에 울부짖는 소리가 더 커졌다. 나는 접수대 쪽으로 좀 더 다가가 그 너머를 유심히 살펴봤다. 텔레비전 앞의 바닥에 푸른 매트가 깔려 있었는데, 그 위에 수수한 꽃무늬 드레스를 입은 스무 살 정도로 보이는 젊은 여자가 앉아 있었다. 그녀는 주먹을 쥔 두 손으로 눈을 누르면서 몸을 앞뒤로 맹렬하게 흔들어대며 줄기차게 소리를 지르고 있었다. 그녀가 몸을 이리저리 흔들 때마다 그녀의 뒤통수가 얼핏 보였는데, 머리카락이 빠져서 창백한 두피가 넓게 드러나 있었다.

나는 뒤로 물러나, 시설 견학을 위해 이동 중인 다른 학생들 무리에 합류했다. 안내원은 환자들 중 많은 이들이 어린 시절 익사할 뻔한 사고를 당했다고 했다. 주변을 둘러보니 우리 외에는 문병객이 보이지 않았다. 나는 평소에도 이런 분위기냐고 안내원에게 물었다.

안내원의 설명에 따르면, 처음에는 가족이 자주 방문하며 매일 오는 건 물론이거니와 하루에 두 번 오는 경우도 있다고 했다. 그러다 하루 걸러 한 번, 일주일에 한 번, 한 달에 한 번으로 방문 횟수가 줄고, 시간이 더 지나면 환자의 생일과 성탄절에만 찾아온다. 그러다가 결국에는 대부분의 가족이 가능한 한 먼 곳으로 이사해버린다.

"그렇다고 그분들을 탓할 수만은 없어요." 안내원이 말했다. "이 애들을 돌보는 건 힘든 일이니까."

이 말을 듣고 나는 화가 치밀어 올랐다. 힘들다? 물론 힘든 일은 맞다. 하지만 어떻게 부모가 자식을 내팽개칠 수 있지? 한 병실에서는 환자들이 마치 막사의 병사들처럼 깔끔하게 줄을 맞춰 간이침대에 누워 있었고, 대다수가 쥐 죽은 듯 조용했다. 나는 침대들을 지나가다가 한 환자와 눈이 마주쳤다. 십 대 후반쯤 되어 보이는, 헝클어진 검은 머리의 여자애였다. 나는 잠시 걸음을 멈추고 그녀에게 마음 쓰고 있다는 걸 보여주기 위해 미소 지으며, 축 늘어진 그녀의 한 손을 잡아 주었다. 그러자 그녀는 까르륵 소리를 내며 나를 똑바로 쳐다보며 빙긋 웃었다.

"나한테 웃어주는 것 같은데요." 내가 안내자에게 말했다.

"그럴 수도 있죠. 정확하게 알기는 어려워요." 그녀가 대답했다.

하지만 나는 확신했다. 그 아이는 미소 짓고 있었다.

다시 학교로 돌아온 나는 다른 학생들이 다 나갈 때까지 교수의 연구실에 남아 있었다. 그는 내게 물었다. "그래, 어땠나?"

나는 부모들이 불쌍한 아이를 내팽개치는 상황에 경악했고, 한 아이는 그런 처지인데도 내게 미소를 지어주더라고 솔직하게 말했다.

그는 훌륭한 스승이었고, 과학과 도덕이 어떻게 교차하는지에 관해 깊이 생각하는 사람이었다. 나는 그가 내 생각에 동의하리라고 기대했다.

"그래, 자네에게 좋은 경험이 됐군. 하지만 난 가끔 그 아이들이 죽는 게 더 낫지 않을까 하는 생각이 든다네."

나는 가방을 집어들고 그 방에서 나왔다.

그 아이는 분명 미소를 짓고 있었다. 그렇지 않았던가?

나중에 가서야 이 견학이 뇌에 대한 새로운 차원의 이해로 나를 이끌었다는 점을 깨달았다. 우리는 뇌 덕분에 인간관계를 맺고 삶을 의미 있게 만든다. 그러나 때때로 뇌는 망가져버린다.

졸업이 가까웠지만 여전히 풀지 못한 문제가 너무 많아 여기서 공부를 끝내서는 안 된다는 생각이 자꾸 들었다. 그래서 스탠퍼드의 영문학 석사 과정에 지원해서 합격했다. 나는 언어를 사람들 사이에 존재하는 거의 초자연적인 힘으로 생각하게 되었다. 언어는 고작 몇 센티미터 두께의 두개골에 보호받는 우리의 뇌가 서로 교감할 수 있도록 도와준다. 단어는 사람들 사이에서만 의미가 있으며, 삶의 의미와 미덕은 우리가 맺는 인간관계의 깊이와 관련이 있다. 인생의 의미를 뒷받침하는 것은 인간의 관계적 측면, 즉 '인간의 관계성'이다. 하지만 이런 과정은 뇌와 신체 그 자체의 생리적인 명령에 따라 일어나며 제대로 작동하지 못하는 경우가 많다. 나는 열정, 갈망, 사랑 등 우리가 체험하는 삶의 언어가 신경 세포, 소화관, 심장박동의 언어와 연관되는 뭔가 복잡한 방식이 틀림없이 존재할 거라고 생각했다.

나는 운이 좋게도 스탠퍼드 대학원의 리처드 로티 교수에게서 배웠다. 당대 최고의 철학자로 인정받는 그의 지도를 받으며, 모든 학문 분야란 인간의 삶을 특정 방향으로 이해하는 일련의 도구, 즉 어휘를 만들어내는 것이라는 관점을 갖게 되었다. 위대한 문학 작품은 나름의 고유한 도구들을 독자에게 쥐어주며 그 어휘를 사용하도록 이끈다. 학위 논문을 쓰기 위해 나는 월트 휘트먼의 작품을 연구했다. 한 세기 전의 시인인 그는 나와 같은 고민을 갖고 있었고, 그가 '생리적·영적 인간'이라고 부른 존재를 이해하고 설명하는 방법을 찾고자 했다.

학위 논문을 마치면서 나는 이런 결론을 내릴 수밖에 없었다. 일관된 '생리적·영적' 어휘를 구축하는 데 있어서 휘트먼이 우리보다 더 성공했다고는 할 수 없지만, 그의 실패는 우리의 이해에 큰 도움을 주었다. 이즈음 나는 문학 공부를 계속하려는 열망이 사그라짐을 점점 더 확신하게 되었다. 문학 연구의 주된 관심사가 지나치게 정치적이고 반과학적이라는 생각이 들었다. 논문 지도 교수 중 한 사람은 문학계에서 내게 맞는 집단을 찾기는 어려울 거라고 말했다. 그의 표현을 빌리자면, 대다수의 영문학 박사들이 과학을 대할 때 "불을 접하는 유인원처럼 극심한 공포를 느낀다"는 것이었다. 나는 내 삶이 어디로 흘러가고 있는지 확신할 수가 없었다. 내 논문인 〈휘트먼과 인격의 치료〉는 좋은 평가를 받긴 했지만, 문학 비평뿐만 아니라 정신의학과 신경과학의 역사가 많이 섞여 있어 정통적이라고는 할 수 없었다. 영문학과 잘 어울리지 않는 논문이었고, 나 역시 영문학에는 잘 어울리지 않는 사람이었다.

몇몇 절친한 대학 친구들은 코미디, 언론, 텔레비전 등의 분야에서 일하기 위해 뉴욕으로 갔다. 나도 그들처럼 새롭게 시작해볼까 잠깐 고민했지만, '생물학, 도덕, 문학, 철학이 교차하는 곳은 어디인가?'라는 질문을 내려놓을 수가 없었다. 축구를 하고 집으로 돌아오는 길에 부드러운 가을바람이 불어왔고, 내 생각은 제멋대로 흘러갔다. 성 아우구스티누스가 정원에서 들은 목소리는 이렇게 말했다. "집어들고 읽으라."●

● 성 아우구스티누스의 《고백록》 제8권 12절 〈밀라노의 정원에서〉에 나오는 밀 성인

하지만 내가 들은 목소리는 그와 정반대였다. "책은 치우고 의학을 공부하라." 갑자기 모든 게 분명해졌다. 비록 아버지, 삼촌, 형이 모두 의사지만(혹은 그래서일지도 모르지만), 나는 의학 분야를 진지하게 고려한 적이 없었다. 하지만 휘트먼도 의사만이 진정으로 '생리적·영적 인간'을 이해할 수 있다고 하지 않았던가.

다음 날, 나는 의예과 지도 교수를 찾아가 향후 계획을 상담했다. 의과 대학원에 입학하려면 1년쯤 집중적으로 기초 수업을 들어야 했고, 지원 기간에 맞추려면 최대 1년 반까지 추가로 소요될 수 있었다. 이렇게 되면 내 친구들은 뉴욕으로 떠나 나 없이 서로 깊은 관계를 다져나갈 것이다. 그리고 나는 문학을 접어야 할 테고. 하지만 이 길은, 책에는 나오지 않는 답을 찾고 전혀 다른 종류의 숭고함을 발견하며, 고통받는 사람들과 관계를 맺고 육체의 쇠락과 죽음 앞에서도 인간의 삶을 의미 있게 만들어주는 것은 무엇인가 하는 문제를 계속 고민할 수 있는 기회였다.

나는 의예과 필수 과정인 화학과 물리학 과목을 수강했

이 마음의 평온을 얻지 못하여 '나는 무엇이 잘못되었는가?' 하고 깊이 고민하면서 정원을 서성이던 중, 옆집에서 아이들이 말하는 소리가 들려왔다. "일어나 읽어라 (tolle, lege)." 그래서 성인이 펼쳐든 성경 구절이 〈로마서〉 13장 12~14절이다.

다. 기나긴 공부가 될 것이기에 아르바이트는 되도록 하고 싶지 않았다. 하지만 팰로앨토 지역의 임대료를 도저히 감당할 수기 없었디. 어느 날 비어 있던 기숙사 방의 창문이 열려 있는 걸 발견하고 그냥 창문으로 넘어들어갔다. 몇 주 동안 무단 점유를 하다가 결국 관리인에게 들키고 말았는데, 그 사람은 마침 내 친구였다. 그녀는 내게 방 열쇠를 주고, 방을 비워야 할 때가 되면 미리 귀띔을 해주기도 했다. 가령 고등학교 여자 치어리더 팀이 숙박하려고 들어오면 나는 성범죄사로 찍히는 일을 피하기 위해 텐트, 책, 시리얼 등을 챙겨서 타호 호수로 갔고, 돌아가도 괜찮을 때까지 그곳에서 지냈다.

의과 대학원 지원 주기가 1년 반이었기에, 의예과 과정이 끝난 뒤에 1년간의 자유 시간이 있었다. 몇몇 교수가 내게 인문학부를 영영 떠나기 전에 과학과 의학의 역사 및 철학 과정 학위를 따보는 건 어떻셌냐고 제안했다. 그래서 나는 케임브리지 대학의 HPS(과학의 역사 및 철학) 과정에 지원하여 합격했다. 그리고 그다음 해 영국 교외에 있는 강의실에서 수업을 들으며, 삶과 죽음의 문제에 관하여 도덕적인 견해를 세우려면 그 문제와 관련된 직접적인 경험을 더 많이 쌓아야 한다는 주장을 펼쳤다. 하지만 그 말이 입 밖으로 나오는 순간 무게감을 잃는 것처럼 느껴지기 시작했다. 한 걸음 물러나서 생각해보니, 나는 이미 내가 알고 있는 것을 재확인하고 있을 뿐이었다. 이제 직접적인 경험이 필요했다. 진지한 생물학적 철학을 추구할 수 있는 유일한 방법은 의학을 실천하는 것이었다. 도덕적인 명상은 도덕적인 행동에 비하면 보잘것없었다. 나는 영국에서의 공부를 마치고 미국으로 돌아왔다. 그리고 예일 의과 대학원에 입학했다.

처음으로 시체를 해부할 때 묘한 기분이 들 것 같지만, 기이하게도 모든 것이 평소와 다를 바 없게 느껴진다. 밝게 켜진 전등과 스테인리스강 수술대, 그리고 나비넥타이를 맨 교수들이 근엄한 분위기를 만들어낸다. 하지만 목덜미부터 허리의 잘록한 부분까지 처음으로 절단하는 순간은 절대로 잊을 수 없다. 메스는 아주 날카로워서 피부를 자른다기보다는 지퍼를 여는 느낌이 든다. 피부가 열리고 그 아래에 숨겨진 금단의 힘줄이 드러나면, 단단한 각오가 무색하게도 불시에 무안함과 흥분을 느끼게 된다. 의대생의 통과 의례인 시체 해부는 지극히 신성한 영역을 침범하는 작업이기도 해서, 혐오감, 흥분, 욕지기, 좌절감, 경외감 등 무수한 감정을 자아낸다. 하지만 시간이 지나면 단조로운 수업 과정의 하나가 된다. 연민과 무감각 사이에서 그때그때 감정이 교차한다. 해부실의 상황은 사회의 가장 근본적인 금기를 깨는데, 해부 도중 포름알데히드가 식욕을 강히게 자극해 부리또가 간절히 먹고 싶어지기도 한다. 정중신경을 해부하고, 골반을 톱질하여 반으로 자르고, 심장을 잘라서 여는 것으로 시체 해부 과제를 마치면 이제 무감각이 찾아온다. 이 '성스러운 침범'온 고지식한 친구, 시도 때도 없이 농담하는 친구, 그리고 나머지 학생들로 가득한 평범한 대학 강의의 성격을 띠게 된다. 시체 해부는 엄숙하고 경건한 학생들이 냉정하고 거만한 의사로 변화하는 과정을 단적으로 보여준다.

나는 의술의 도덕적 사명이 막중하다고 생각하여 의과 대학원 초기 시절에는 아주 진지했다. 시체 해부를 하기 전에 심폐소생술을 배웠는데, 나는 두 번째로 배우는 것이었다. 학부에서 처음 배웠을 때는 진지함은 하나도 없이 모두가 웃고 떠드는 분위기였다. 형편없는 연기가 펼쳐지는 비디오. 영상과 사지가 없는 플라스틱 마네킹은 너무도 부자연스러웠다. 하지만 그때와 달리 의과 대학원의 수업에서는 언젠가 살아 있는 사람을 대상으로 이 기술을 써야 한다는 사실을 절감했기에 모두들 적극적으로 수업에 참여했다. 나는 자그마한 플라스틱 아이의 가슴을 손바닥으로 계속 세게 쳤고, 동료 학생들의 농담처럼 진짜 늑골이 부러지는 소리가 들리는 것만 같았다.

훈련에 임할 때는 눈앞의 시체를 반대로 생각한다. 마네킹은 진짜 사람으로, 진짜 시체는 가짜로. 하지만 첫날엔 도저히 그럴 수가 없다. 푸른 기를 살짝 띤 채 부풀어 오른 내 첫 시체를 보았을 때, 그는 확실히 죽어 있었지만 또한 완전한 인간이기도 했다. 앞으로 넉 달 안에 이 시신의 머리를 쇠톱으로 이등분해야 한다는 것이 왠지 양심에 걸리는 일로 느껴졌다.

하지만 우리 곁엔 해부학 교수들이 있었다. 그들은 우리에게 시체의 얼굴을 한번 잘 보고 천을 덮어두면 작업이 한결 쉬울 거라고 조언했다. 우리가 깊이 숨을 들이쉬고 진지한 표정으로 시신의 얼굴에 덮인 천을 걷어내려 할 때, 한 외과의가 들러 양 팔꿈치를 시체의 얼굴 쪽에 대고 시신의 알몸에 있는 다양한 흔적과 상처를 가리키며 시신의 병력을 설명했다. 이 상처는 서혜부 탈장 수술로 생긴 거고, 이 상처는 경동맥 내막절제술 때문에 생겼고, 여기 이 긁은 자국들을 보면 황달, 즉 빌리루빈* 과다 분비를 의심할 수 있다. 비록 흔적은 없지만 췌장암으로 아주 급하게 사망했을 것이다. 이 설명을 듣는 내내 나는 그의 팔꿈치로 자꾸 시선이 갔다. 그는 천으로 덮인 시신의 머리 위에서 양팔을 이리저리 움직이며 의학적인 가설과 진문용어를 알려주고 있었다. 그 광경을 지켜보며 나는 이런 생각을 했다. '안면실인증은 얼굴을 인지하는 능력을 잃어버리는 신경 질환이다.' 곧 나도 그 질환에 걸려 태연히 쇠톱을 손에 쥐고 있겠지.

몇 주가 지나자 해부 작업의 극적인 측면은 사라졌다. 나는 의학을 전공하지 않는 다른 학생들에게 시체 해부에 관한 이야기를 들려주면서 음산하고, 섬뜩하고, 기이한 측면을 강조했다. 일주일에 여섯 시간씩 시체를 해부하고 있지만 그래도 내가 정상임을 그들에게 보여주려는 듯이. 가끔은 해부 실습을 같이 하는 학우에 관한 이야기도 들려주었다. 아기자기한 머그컵을 들고 온 여학생이 의자 위에 발끝으로 서서 여자 시신의 척추에 끌을 대고 힘차게 망치질을 하며 뼛조각들을 허공으로 날리더라. 나는 마치 나와 상관없다는 듯이 이런 이야기를 했지만, 그 여학생이나 나나 다를 게 없었다. 나 역시 뼈 절단기를 들고서 남자 시신의 흉곽을 열심히 해제했다. 얼굴을 천으로 덮어놓고 이름도 모른 채 해부

● 간에서 분비되는 적황색 물질.

69

실습을 했지만, 그래도 시신에게서 인간성이 갑자기 느껴질 때가 있다. 내가 맡은 시체의 위를 절개하여 열었다가 채 소화되지 않은 모르핀 알약 두 정을 발견한 적이 있다. 생전에 그는 홀로 고통스럽게 죽어가며 약병의 뚜껑을 더듬어 이 약을 꺼냈을 것이다.

물론 시체들은 생전에 사후 기증에 동의했기 때문에 이곳에 와있는 것이었다. 그래서 우리 앞의 시신을 지칭하는 용어도 곧 그 사실을 반영하는 쪽으로 바뀌었다. '시체' 대신에 '기증자'라는 용어를 사용하라는 지시가 내려왔다. 물론 해부학의 범죄적 요소는 흉악했던 과거에 비해 많이 줄었다. 우선, 지금의 의대생들은 19세기처럼 스스로 시체를 준비하지 않아도 된다. 그리고 의과 대학들 역시 해부용 시체를 확보하기 위해 시체 도둑들을 지원하는 일을 그만두었다. 사실 시체 약탈은 살인보다는 훨씬 더 개선된 방식이었다. 한때 시체 장사를 위한 살인이 얼마나 성행했는지 그것을 뜻하는 'burke'라는 동사가 생겨날 정도였다. 옥스퍼드 영어 사전은 이 단어를 다음과 같이 정의한다. '숨을 막히게 하거나 목을 졸라, 혹은 해부용 사체로 팔기 위해 은밀하게

살해하는 것.'

하지만 해부실 환경을 가장 잘 아는 사람들, 즉 의사들은 사체 기증을 거의 하지 않는다. 그렇다면 기증자들은 실제 상황을 얼마나 알고 있을까? 한 해부학 교수는 내게 이런 말을 했다. "수술을 할 때에도 의사가 환자한테 그 끔찍한 세부 사항들을 낱낱이 얘기하지는 않잖나. 그랬다간 환자가 수술에 동의하지 않을지도 모르니까."

기증자들이 정보를 충분히 제공받는다 해도(한 해부학 교수는 애매하게 얼버무렸지만, 기증자들에게 상황을 제대로 알려주는 것은 당연한 일이다), 그리 기분이 좋을 리는 없다. 물론 해부당한다는 생각도 싫지만, 부모님이나 조부모님이 시시껄렁한 농담이나 하는 스물두 살짜리 의대생들에게 토막난다고 생각하면 얼마나 견디기 힘들겠는가. 해부실에 들어가기 전 자료를 읽고 '뼈 절단기'라는 용어를 볼 때마다 나는 이번에야말로 구토를 하겠구나 생각했다. 하지만 막상 해부실에 들어가면 별로 애를 먹지 않았다. 문제의 '뼈 절단기'가 흔히 볼 수 있는 녹슨 나무 톱이라는 걸 알았을 때도 마찬가지였다. 오히려 내가 구토를 할 뻔했던 건 해부실과는 전혀 무관한, 뉴욕의 할머니 묘소에서였다. 할머니의 20주기였던 그날, 나는 무덤 앞에 웅크리고 앉아 흐느끼면서 내가 해부한 기증자가 아니라 그 사람의 손자들에게 마음속으로 사과했다. 실제로 해부 도중에 기증자의 아들이 와서 절반쯤 해부된 어머니의 시신을 돌려달라고 하는 일도 있었다. 그의 어머니는 기증에 동의했지만, 아들은 어머니가 그런 꼴을 당한다는 걸 도저히 견딜 수가 없었던 것이다. 나라도 그렇게 했을 것이다. 기증자는 아들의 바람대로 가족에게 돌아갔다.

해부실에서 우리는 시체를 하나의 사물로 대상화하여, 문자 그대로 장기, 조직, 신경, 근육으로만 바라보았다. 실습 첫날, 나는 시체에서 드러나는 인간성을 부정하지 못했다. 하지만 사지의 피부를 벗겨내고, 작업을 방해하는 근육을 가르고, 폐를 꺼내고, 심장을 잘라서 열고, 간엽을 제거하고 나면 이런 조직 더미를 인간으로 인식하기가 힘들었다. 결국 시체 해부는 신성 모독이라기보다는 해피 아워*에 술 마시러 가는 것을 방해하는 일이 되어버리고, 이런 깨달음은 우리를 불편하게 만든다. 어쩌다 한 번씩 반성의 순간이 찾아오면 우리는 마음속으로 시체들에게 사과했다. 죄의식을 느껴서가 아니라 느끼지 못했다는 사실 때문에.

---

* 술집에서 정상가보다 싼 값에 술을 파는 보통 이른 저녁 시간대.

그러나 해부를 단순한 악으로 치부할 수는 없다. 시체 해부뿐 아니라 모든 의학은 신성한 영역을 침범한다. 의사는 상상할 수 있는 모든 방법을 동원하여 환자의 신체를 침입해 들어간다. 그리고 환자의 가장 취약하고, 가장 신성하며, 가장 은밀한 부분을 들여다본다. 그런 다음 환자를 회복시켜 세상으로 돌려보낸 뒤 다시 그에게서 빠져나온다. 신체를 물질이자 구조로 보는 것과 인간의 극심한 고통을 줄이는 일은 동전의 양면과도 같다. 마찬가지 이유로 인간의 극심한 고통은 그저 하나의 교육 수단이 된다. 해부학 교수들은 이런 관계의 한쪽 극단에 있을지 모르지만, 그래도 시신과의 유대감을 잃지 않는다. 해부 실습 초기에 나는 비상 동맥을 쉽게 찾기 위해 기증자의 횡격막을 길고 빠르게 갈랐는데, 우리를 감독하던 교수는 내 행동을 보고 깜짝 놀라며 크게 화를 냈다. 내가 중요한 조직을 망가뜨렸거나, 핵심적인 개념을 잘못 이해했거나, 이후의 해부 작업에 지장을 주어서가 아니라, 너무 무신경한 태도였기 때문이었다. 그는 별다른 말없이 자신의 슬픔을 얼굴에 고스란히 드러냈고, 그 표정은 그 어떤 강의보다도 내게 의학에 관해 많은 것을 가르쳐주었다. 다른 교수가 그렇게 자르라고 했다는 내 해명에 감독 교수의 슬픔은 분노로 비껴갔고, 갑자기 교수들은 얼굴이 벌게진 채 복도로 끌려나갔다.

그런 유대감이 훨씬 더 단순하게 형성될 때도 있었다. 한 번은 교수가 췌장암으로 망가진 기증자의 조직을 우리에게 보여주면서 물었다. "이분의 나이는?"

"일흔넷입니다." 우리가 대답했다.

"나랑 동갑이군." 교수는 이렇게 말한 뒤 외과용 탐침을 내려놓고 자리를 떴다.

의과 대학원에 다니면서 나는 의미, 삶, 죽음 사이의 관계를 더욱 잘 이해하게 되었다. 내가 학부생일 때 글을 써서 논했던 인간의 관계성이 의사와 환자 사이에서 실현되는 것을 볼 수 있었다. 의학도인 우리는 죽음과 고통, 그리고 환자를 돌보는 데 수반되는 여러 업무에 직면했다. 배우는 과정이라 실제로 책임을 지는 일은 없었지만, 그 무게를 희미하게나마 느낄 순 있었다. 의과 대학원 학생들은 첫 2년 동안 강의실에서 학우들과 어울리고 공부하며 시간을 보낸다. 학부에서 하던 공부의 연장으로 생각하기 쉬웠다. 하지만 의과 대학원에 입학한 해에 만나서 나중에 내 아내가 된 루시는 이 공부에 숨어 있는 의미를 이해했다. 사람을 사랑하는 그녀의 능력에는 한계가 없어 보였고, 그런 그녀에게서 많은 것을 배웠다. 어느 날 밤 루시와 나는 내 아파트의 소파에 앉아 심전도 파형을 공부했다. 그녀는 무언가 골똘히 생각하다가 치명적인 부정맥을 정확히 짚어냈다. 갑작스럽게 뭉클해진 루시는 울기 시작했다. 우리가 보고 있는 연습용 심전도가 누구의 것이든, 그 환자는 살아남지 못할 운명이었다. 그 페이지 위의 구불구불한 선들은 단순한 선 이상의 의미를 지녔다. 심실세동이 악화되어 결국 심장 수축이 멈출지도 모르는 상황을 보여주고 있었고, 사람을 눈물짓게 만들 수도 있었다.

루시와 내가 예일 의과 대학원에 다닐 때 셔윈 눌랜드가 아직 그곳에서 강의를 하고 있었지만, 내가 아는 그는 교수라기보다는 작가였다. 눌랜드는 저명한 외과의이자 철학자로서, 죽음을 다룬 그의 획기적인 저서 《사람은 어떻게 죽음을 맞이하는가(How We Die)》가 내 고등학교 시절에 출간되었지만 정작 그 책을 읽어본 것은 의과 대학원에 들어가고 나서였다. 금붕어든 사람이든 모든 생물은 죽는다는 근본적인 사실을 그 책처럼 직접적이고 전면적으로 논한 책은 거의 없을 것이다. 나는 밤에 내 방에서 눌랜드의 책을 꼼꼼히 읽었는데, 그가 할머니의 투병을 묘사한 부분이 특히 기억에 남는다. 그 구절은 개인적이고 의학적이며 정신적인 측면이 한데 어우러져 완벽하게 빛나고 있었다. 눌랜드는 어렸을 때 손가락으로 할머니의 피부를 꾹 누른 뒤 원래대로 돌아오는 데 얼마나 걸리는지 지켜보는 장난을 쳤다. 전과 다르게 짧아진 호흡과 함께 이런 노화 현상은 할머니의 "울혈성 심부전이 서서히 진행 중이며, 오래된 피가 오래된 폐의 오래된 조직에서 가져 나오는 산소의 양이 현격하게 줄었음을" 보여주는 징후였다. 눌랜드의 이야기는 이렇게 계속되었다. "하지만 가장 확실한 건 할머니가 삶에서 천천히 멀어져가고 있다는 사실이었다……. 할머니는 기도를 그만두었을 때쯤 사실상 다른 모든 일도 멈추었다." 할머니에게 치명적인 뇌졸중이 찾아왔을 때, 눌랜드는 토머스 브라운 경의 《의사의 종교(Religio Medici)》에서 본 구절을 떠올렸다. "우리는 엄청난 투쟁과 고통을 딛고 이 세상에 오지만, 세상을 떠나는 일도 여간 어려운 일이 아니다."

나는 스탠퍼드에서 영문학을, 케임브리지에서 의학의 역사를 공부하며 죽음을 이해하기 위해 그 많은 시간을 쏟아부었지만 결국 답을 찾지 못했다. 눌랜드의 책을 비롯해 여러 기록들을 보니 죽음이란 직접 대면해야만 알 수 있는 거라는 확신이 들었다. 나는 죽음의 두 가지 수수께끼인 경험적인 징후와 생물학적인 징후, 즉 아주 개인적이면서도 철저히 비개인적인 측면들을 파헤치기 위해 의학을 탐구했다.

눌랜드는 《사람은 어떻게 죽음을 맞이하는가》의 초반부에서 젊은 의학도 시절 수술실에서 심장이 멈춘 환자와 단둘이 있었던 경험을 이야기한다. 그는 절박한 심정으로 환자의 흉부를 절개하고 손으로 심장을 눌러 문자 그대로 생명을 꽉꽉 눌러넣으려 애썼다. 환자는 결국 사망했고, 눌랜드는 피투성이가 된 채로 지도 교수에게 발견되었다.

내가 입학했을 때는 의과 대학원의 방침이 변경되어 학생이 눌랜드처럼 행동하는 일은 상상도 할 수 없었다. 학생들은 흉부를 절개하는 건 고사하고 환자를 만지는 것도 잘 허용되지 않았다. 하지만 바뀌지 않은 것이 있다면, 심폐 소생에 실패하고 피투성이가 되어서도 끝까지 환자를 살리려는 영웅적인 책임감이다. 이것이야말로 진정한 의사의 모습이라는 생각이 들었다.

내가 처음으로 목격한 탄생은 또한 처음으로 맞닥뜨린 죽음이기도 했다.

도서관에서 책에 파묻히고, 카페에서 강의록을 열심히 읽고, 침대에 누워서 직접 만든 플래시 카드를 복습하며 강도 높은 공부를 했던 2년을 마무리지으면서 의과 대학원에서의 첫 단계가 끝났다. 이후 2년은 병원에서 이론적 지식을 활용하여 환자들의 고통을 실제로 덜어주는 일을 하게 된다. 나는 산부인과에서 실습을 시작했고 분만병동에서 야간 근무를 했다.

해질 무렵 병원으로 들어서면서 나는 분만 단계, 자궁경부의 확장, 아이의 하강을 알려주는 '태위'의 명칭 등 때가 되면 도움이 될 만한 것들을 미리 짚어보았다. 의과 대학원생으로서 나의 임무는 관찰을 통해 많이 배우고, 선배들의 업무에 방해가 되지 않는 것이었다. 의과 대학원을 졸업하고 선택한 전공 분야에서 근무 중인 레지던트들과 임상 경험이 풍부한 간호사들이 내 주된 스승이 될 것이었다. 하지만 우연이든 요청을 받든 나 혼자 아이를 받아야 하는 상황이 되면 실패할까 봐 내심 불안했다.

나는 레지던트와 인사하기 위해 의사 휴게실로 찾아갔다. 그곳에는 검은 머리의 젊은 여자가 소파에 누워서 샌드위치를 우적우적 씹어 먹으며 텔레비전을 보고 학술지도 읽고 있었다. 나는 내 소개를 했다.

"반가워요." 그녀가 말했다.

"난 멜리사라고 해요. 여기 아니면 비상 대기실에 있을 테니까 필요하면 찾아와요. 가르시아라는 환자를 주의 깊게 지켜보세요. 스물두 살인데 쌍둥이를 조산할 것 같거든요. 다른 환자들은 별 문제 없어요."

샌드위치를 먹으면서 멜리사는 수많은 정보들을 무더기로 알려주었다. 쌍둥이를 가진 가르시아는 임신 23주차에 들어섰는데, 아이들이 더 클 때까지 임신 상태를 지속하는 게 최선이고, 24주는 지나야 태아의 생존력이 최소한으로 보장되며, 이후로는 하루하루 표가 나게 좋아진다, 그리고 가르시아는 여러 약물을 투여받으며 자궁의 수축을 조절하고 있다 등등…… 그때 멜리사의 호출기가 울렸다.

"자." 멜리사가 소파에서 다리를 내려놓으며 말했다. "가야겠네요. 당신은 여기 있어도 돼요. 재밌는 유선 방송 채널이 많거든요. 아니면 날 따라와도 돼요."

나는 멜리사를 따라 간호사실로 갔다. 한쪽 벽에는 원격 측정한 결과들이 물결선으로 표시되는 모니터가 줄지어 있었다.

"저건 뭐죠?" 내가 물었다.

"자궁근 수축과 태아심박동수를 측정한 결과예요. 환자를 보여드릴게요. 그런데 환자가 영어를 한 줄 모르는데, 혹시 스페인어 할 줄 아세요?"

나는 고개를 저었다. 멜리사는 나를 병실로 데려갔다. 병실 안은 어두웠다. 가르시아는 복부에 자궁 수축과 쌍둥이의 심박동수를 측정해 간호사실에서 봤던 모니터로 신호를 보내는 띠를 두른 채 조용히 침대에 누워 쉬고 있었다. 가르시아의 남편은 침대 옆에 서서 아내의 손을 잡고 있었다. 그의 이마에는 근심이 가득했다. 멜리사가 부부에게 스페인어로 뭔가 나직이 말한 뒤 나를 데리고 병실을 나왔다.

다음 몇 시간 동안 일은 순조롭게 진행되었다. 멜리사는 휴게실에서 쪽잠을 잤다. 나는 가르시아의 차트에 마치 상형문자처럼 알아보기 어렵게 갈겨써져 있는 글자들을 해독하려고 애썼다. 그 내용에 따르면, 그녀의 이름은 엘레나, 두 번째 임신이고, 임신 기간 동안 건강관리를 받은 적이 없으며, 보험에도 가입하지 않았다. 나는 나중에 검색해보려고 그녀에게 처방된 약들의 이름을 적었다. 그리고 의사 휴게실에서 관련 교과서를 뒤적여 조산에 관한 내용을 조금 읽어봤다. 조산아들은 생존한다 해도 뇌출혈과 뇌성마비에 걸릴 확률이 높다. 하지만 내 형인 수만은 거의 30여 년 전 8주나 일찍 태어났지만 지금은 신경과 전문의로 일하고 있다. 나는 한 간호사에게 가서 모니터에 보이는 구불구불한 작은 선을 어떻게 해석하는지 가르쳐달라고 부탁했다. 내게는 의사들의 글씨만큼이나 이해하기 어려운 선들이지만 해석하는 법을 알고 나면 앞으로 아무 일도 없을지 잠사가 일어날지 미리 알 수 있다. 간호사는 고개를 끄덕이고는 자궁 수축과 태아의 심박동 신호를 해석하는 요령을 알려주기 시작했다. "여기를 자세히 보시면……."

갑자기 그녀가 말을 멈추었다. 얼굴에 불안한 기색이 역력했다. 그녀는 아무 말 없이 일어나서 엘레나가 있는 방으로 달려 들어갔다가 급하게 다시 나와 전화기를 집어들고 멜리사를 호출했다. 1분 정도 지나 멜리사가 게슴츠레한 눈으로 나타나서 모니터를 보더니 곧바로 엘레나의 병실로 달려갔다. 나도 그 뒤를 쫓아갔다. 멜리사는 휴대전화를 꺼내서 담당의에게 전화를 걸어, 내가 다 알아듣지는 못하는 전문 용어로 빠르게 말하기 시작했다. 내가 이해한 바로는 쌍둥이가 위험하며, 제왕절개를 해야만 살 수 있다는 내용이었다.

나는 그런 흥분과 동요 속에서 수술실로 들어갔다. 엘레나는 수술대 위에 반듯이 누워 혈관으로 약물을 투여받고 있었다. 담당의, 레지던트, 그리고 내가 알코올 세정제를 손과 팔뚝에 뿌리는 동안, 간호사는 엘레나의 부푼 배에 정신없이 소독제를 칠했다. 나는 분주하게 움직이는 다른 의사들을 흉내 내면서, 낮은 소리로 욕설을 삼키는 그들 곁에 아무 말 없이 서 있었다. 마취과 의사가 환자에게 관을 삽입하는 동안 고참 외과의사인 담당의는 안절부절못했다.

"자, 시간 없어요. 더 빨리 움직여야 해요!" 담당의가 말했다.

나는 담당의 옆에 서서 그가 부풀어 오른 배의 정점 바로 아래 배꼽 밑으로 기다란 곡선을 하나 그어 산모의 배를 가르는 모습을 지켜보았다. 나는 모든 움직임을 따라가며, 교과서에서 봤던 해부 관련 그림들을 떠올리려고 애썼다. 메스를 들이대자 피부가 주욱 갈라졌다. 담당의는 근육을 덮은 흰색의 질긴 배곧은근(腹直筋, rectus abdominis) 근막을 과감하게 가르고, 손으로 근막과 그 밑의 근육을 분리한 뒤 멜론처럼 생긴 자궁을 노출시켰다. 이어 자궁을 절개하자 태아의 작은 얼굴이 나타났다 다시 핏속으로 사라졌다. 담당의는 자궁에 손을 넣어 보랏빛이 감도는 두 아기를 꺼냈다. 간신히 꾸물거리는 아이들은 마치 눈을 붙여놓기라도 한 것처럼 꼭 감고 있었다. 둥지에서 너무 빨리 떨어진 조그만 새들 같았다. 반투명한 피부 사이로 뼈가 보이는 태아들은 아기라기보다는 아기의 밑그림처럼 보였다. 아기들은 담당의의 손만 한 크기로 너무 작아서 안아줄 수도 없을 정도였다. 대기하던 신생아 중환자 전문의가 얼른 받아들고는 서둘러 신생아 중환자실로 데려갔다.

위급한 상황이 지나가자 수술 속도는 느려지고 긴장됐던 분위기도 다소 풀렸다. 뿜어져 나오는 피를 막느라 소작기로 살을 태우는 냄새가 진동했다. 자궁을 다시 봉합하고, 벌어진 상처는 치아처럼 가지런한 바늘땀으로 꿰매었다.

"교수님, 복막을 닫을까요?" 멜리사가 물었다. "최근 연구를 보니 굳이 닫지 않아도 된다고 해서요."

"신이 붙여놓은 걸 인간이 갈라놓을 수는 없죠." 담당의가 말했다. "일시적으로 갈라놓는 건 몰라도, 원래 상태로 되돌려놓고 싶어요. 다시 꿰맵시다."

복막은 뱃속을 감싸고 있는 막이다. 웬일인지 나는 복막 설개를 완전히 놓쳐서 전혀 보지 못했다. 내 눈에는 그 상처가 그저 지리멸렬한 조직 덩어리로 보였지만, 외과의들은 대리석 덩어리를 앞에 둔 조각가처럼 상처에서 어떤 질서를 파악하고 있었다.

멜리사는 지시대로 복막을 꿰매기 위해 상처에 겸자를 대고 근육과 자궁 사이의 투명한 조직을 잡아당겼다. 갑자기 복막과 거기에 난 커다란 구멍이 선명하게 드러났다. 그녀는 구멍을 꿰매서 닫은 뒤 큰 바늘로 감치기를 하듯이 근육과 근막을 다시 이었다. 담당의가 자리를 떴고, 마침내 피부가 봉합되었다. 멜리사는 내게 마지막 남은 두 바늘을 꿰매보지 않겠냐고 물었다.

피하 조직 밑으로 바늘을 집어넣는 내 손이 살짝 떨렸다. 내가 봉합사를 팽팽하게 당기자 바늘이 약간 구부러졌다. 그 바람에 피부가 한쪽으로 치우쳐진 채 묶였고, 그 사이로 작은 지방 덩어리가 비집고 나왔다.

멜리사가 한숨을 쉬며 말했다. "깔끔하지 않네요. 진피층을 붙잡아두기만 하면 돼요. 여기 얇은 흰 줄 보여요?"

보였다. 나는 마음가짐뿐만 아니라 눈도 훈련할 필요가 있었다.

"가위 주세요." 멜리사는 내가 아마추어 솜씨로 만들어놓은 매듭들을 끊은 뒤 상처를 다시 봉합하고 붕대를 감았다. 환자는 회복실로 옮겨졌다.

멜리사가 앞서 말한 것처럼, 태아는 자궁 안에서 24주를 보내야 최소한의 생존력을 지닐 수 있다. 가르시아의 쌍둥이는 23주 6일을 자궁 속에 있었다. 아이들에게 장기는 있지만, 생명을 유지하는 책임을 다할 준비는 아직 안 되어 있을 것이다. 정상적인 경우라면 그 아이들은 거의 넉 달은 더 자궁의 보호를 받으면서 탯줄을 통해 영양분과 산소화된 혈액을 더 많이 공급받아야 했다. 이제 세상에 태어났으니 산소가 폐로 들어가야 하지만 쌍둥이의 폐는 복잡한 팽창과 가스 전달, 즉 호흡을 감당할 능력이 없었다.

나는 아이들을 보러 신생아 중환자실로 갔다. 각각 투명한 플라스틱 인큐베이터 안에 들어가 있었는데, '삐' 소리를 내는 커다란 기계들 때문에 더 왜소해 보이는 데다 복잡하게 엉킨 선들과 관들에 가려 눈에 잘 띄지도 않았다. 인큐베이터의 한편엔 아기에게 필수적인 사람과의 접촉을 위해 부모가 손을 넣어 아기의 팔이나 다리를 만질 수 있게 만들어 놓은 작은 창이 있었다.

해가 떠오르고 교대 시간이 됐다. 나는 집으로 돌아가 침내에 누웠지만 자궁에서 빠져나오던 쌍둥이의 모습이 자꾸 떠올라 쉽게 잠들지 못했다. 다 자라지 못한 폐처럼, 나 역시 환자의 생명을 책임질 준비가 덜 된 것 같았다.

그날 밤 다시 병원에 출근한 나는 새로운 임산부를 담당하게 되었다. 그녀에게는 문제 될 만한 게 아무것도 없었다. 오늘이 그녀의 출산 예정일이었고, 모든 일이 일사천리로 진행되고 있었다. 간호사와 함께 나는 안정적으로 진행되는 출산 과정을 지켜보았다. 진통 간격이 섬섬 더 규칙적으로 변했다. 간호사는 자궁경부가 3센티미터, 5센티미터, 10센티미터 열릴 때마다 보고했다.

"이제부터 임산부가 힘을 줘야 해요." 간호사는 나를 돌아보며 말했다. "걱정하지 마세요. 분만이 가까워지면 호출할 테니까."

의사 휴게실로 가니 멜리사가 쉬고 있었다. 어느 정도 시간이 흐르자, 산부인과 팀이 수술실로 호출되었다. 분만이 얼마 안 남았다는 뜻이었다. 문 밖에서 멜리사가 내게 가운과 장갑, 그리고 기다란 신발 덮개를 건넸다.

"많이 더러워질 거예요." 그녀가 말했다.

우리는 수술실로 들어갔다. 내가 임산부에게서 조금 떨어져 어색하게 서 있자 멜리사가 나를 산모의 양 다리 사이로 잡아끌었고 내 바로 뒤에는 담당의가 서 있었다.

"힘줘요!" 간호사가 임산부를 격려했다. "좋아요. 그렇게 해요. 비명은 지르지 말고요."

하지만 임산부는 비명을 멈추지 못했다. 얼마 지나지 않아 피와 체액이 쏟아져 나왔다. 깔끔한 의학적 도해는 지금 벌어지는 이런 상황을 여실하게 보여주지 못한다. 무자비한 자연은 인간의 출산에도 인정사정 봐주지 않는다. 출산은 앤 게디스*의 사진과는 다르다. 병원에서 배우는 실무가 의과 대학원생으로서 강의실에서 받는 교육과 상당히 다르리라는 것이 점점 더 실감났다. 책을 읽고 객관식 문제에 답하는 건 행동을 취하고 그에 따른 책임을 지는 것과는 전혀 다른 문제였다. 아이의 어깨가 쉽게 나올 수 있게 머리를 신중하게 당겨야 한다는 사실을 아는 것과 그것을 직접 실행하는 것은 다르다. 너무 세게 당기면 어떻게 될까? ('돌이킬 수 없는 신경 손상', 내 뇌가 소리쳤다.) 임산부가 힘을 줄 때마다 머리가 밖으로 나오고, 쉴 때마다 머리가 다시 들어갔다. 3보 전진, 2보 후퇴의 느낌이었다. 나는 기다렸다. 인산의 뇌는 생명체의 가장 기본적인 임무인 출산을 위험한 일로 만든다. 하지만 바로 그 뇌 덕분에 산부인과, 심장진통계, 경막외 마취제, 응급 제왕절개술 같은 것들이 가능해지고 또 필요해졌다.

나는 언제 뭘 해야 할지 몰라 가만히 서 있었다. 그러자 담당의가 내게 아이의 머리가 나오면 꺼내라고 지시했고, 산모가 또 힘을 주면서 머리가 나왔을 때 나는 부드럽게 아이를 꺼냈다. 아이는 어젯밤에 본, 새처럼 작았던 쌍둥이에 비하면 족히 세 배는 커 보였다. 크고, 토실토실하고, 양수에

● 아기들의 귀여운 모습을 주로 찍는 오스트레일리아의 사진작가.

흠뻑 젖어 있었다. 멜리사가 탯줄을 클램프로 죄었고, 내가 잘라냈다. 아이가 눈을 뜨더니 울기 시작했다. 나는 그 무게 감과 실체를 느끼며 아기를 좀 더 안고 있다가 간호사에게 넘겼고, 간호사는 곧바로 산모에게 건네주었다.

나는 대기실로 나가 기다리고 있던 가족들에게 좋은 소식을 전했다. 열두 명 정도 되는 대가족이 뛸 듯이 기뻐하며 서로 정신없이 악수와 포옹을 나누었다. 나는 신으로부터 기쁨에 넘치는 새 약속을 받고 산꼭대기에서 돌아온 예언자가 된 기분이었다. 출산 과정의 모든 혼란은 사라졌고, 방금 전에 나는 이 가족에게 누군가의 조카딸, 누군가의 사촌이 될 새로운 식구를 품에 안고 있었다.

나는 한껏 들뜬 기분으로 병동으로 돌아갔다가 우연히 멜리사를 만났다.

"저, 어젯밤에 그 쌍둥이는 어떻게 됐나요?" 내가 물었다.

그녀는 어두운 표정으로 소식을 전해주었다. 한 아이는 어제 오후에 죽었고, 다른 아이는 24시간을 채 버티지 못하고 내가 새로운 아이를 받을 무렵에 죽었다는 것이었다. 그 말을 듣는 순간 내 머릿속에는, 죽음이라는 한계에 다다른 쌍둥이의 상황에 너무도 잘 들어맞는 사뮈엘 베케트의 은유 만이 떠올랐다. "우리는 어느 날 태어났고, 어느 날 죽을 거요. 같은 날, 같은 순간에. 여자들은 무덤에 걸터앉아 아기를 낳고, 빛은 잠깐 반짝이고, 그러고 나면 다시 밤이 오지."• 나는 '겸자'를 든 '무덤 파는 사람' 옆에 서 있었던 셈이다. 쌍둥이의 삶은 결국 무엇이었을까?

"그게 나쁘다고 생각해요? 사산아를 낳아도 임산부는 진통과 분만 과정을 겪어야 해요. 상상이 돼요? 최소한 그 쌍둥이들은 빛이라도 봤잖아요."

성냥불이 깜박이다가 꺼지고 말았다. 543호실 산모의 통곡, 아빠의 시뻘게진 눈꺼풀과 소리 없이 흘러내리는 눈물. 환희의 이면에 존재하는 이 견딜 수 없고, 불공평하며, 예기치 않은 죽음······. 대체 이걸 어떻게 이해해야 하고, 또 어떤 위로의 말을 건네야 한단 말인가?

"제왕절개가 올바른 선택이었을까요?" 내가 물었다.

"그럼요. 그 방법밖에 없었으니까."

"제왕절개를 하지 않았다면요?"

"죽었겠죠. 비정상적인 태아 심장 박동 기록으로 산혈증이 일어나고 있는지, 탯줄이 문제인지, 아니면 아주 심각한 뭔가가 벌어지고 있는지 알 수 있어요."

• 사뮈엘 베케트의 희곡《고도를 기다리며》에 나오는 포조의 대사.

"하지만 어느 정도가 나쁜 상태라고 할 수 있죠? 너무 빨리 태어나는 것과 너무 오래 기다리는 것 중에 어느 쪽이 더 안 좋은가요?"

"그건 의사의 판단에 달렸죠."

이 얼마나 중대한 판단인가. 내가 여태껏 살면서 프렌치 딥 샌드위치와 루벤 샌드위치 중에 하나를 고르는 것보다 더 어려운 판단을 해본 적이 있었나? 어떻게 하면 의사다운 판단을 내리고, 그 결과를 받아들이는 법을 배울 수 있을까? 앞으로 실제적인 의학을 더 많이 배워야겠지만, 생사가 걸린 상황에서 지식만으로 충분할까? 물론 지능만으로는 충분치 않고 도덕적 명확성 또한 필요했다. 앞으로 내가 지식뿐만 아니라 지혜도 함께 얻게 될 거라고 믿는 수밖에 없었다. 바로 어제 병원에 들어섰을 때만 해도 삶과 죽음은 그저 추상적인 개념에 지나지 않았다. 이제 나는 그 둘 모두를 바로 가까이에서 목격했다. 베케트의 포조가 한 말이 옳을지도 모른다. 삶은 너무나 짧은 '잠깐'이기에 충분히 고민할 시간이 없을지도 모른다. 하지만 내게 맡겨진 역할, 즉 겸자를 든 무덤 파는 사람으로서 죽음의 시간과 방법에 직접적으로 개입하는 일을 충실히 해내야 한다.

얼마 뒤, 산부인과 실습이 마무리되고 종양외과 실습이

시작되었다. 나는 의과 대학원 동기인 마리와 함께 교대 근무를 했다. 몇 주 동안 쪽잠을 자며 야간 근무를 한 뒤, 마리는 휘플 수술의 보조를 맡게 되었다. 휘플 수술은 췌장암을 절제하기 위해 복부의 여러 장기를 재배열하는 복잡한 수술이다. 보통 이 수술에 참여하는 학생들은 길게는 아홉 시간 동안 똑바로 서 있어야 한다. 움직여봤자 움츠리는 정도가 전부다. 학생이 휘플 수술에 보조로 선택받는 건 꽤 유익한 경험이다. 최고참 레지던트만 적극적으로 참여할 수 있을 만큼 극도로 복잡한 수술이기 때문이다. 그러나 일반 외과의의 기술을 궁극적으로 시험하는 현장이기에 사람을 녹초로 만든다.

나는 수술이 시작된 지 15분 만에 복도로 나와 울고 있는 마리를 보았다. 외과의는 항상 암의 전이를 확인하기 위해 작은 구멍을 낸 뒤 소형 카메라를 삽입하는 것으로 수술을 시작한다. 암이 광범위하게 전이되었다면 수술은 무용지물이므로 당연히 취소된다. 복도에 서서 닥쳐올 아홉 시간을 기다리던 마리는 내심 이런 생각을 했다 '너무 피곤해. 하느님 제발, 전이가 있게 해주세요.' 실제로 전이가 확인되어 환자의 전개 구멍은 봉합되고 수술이 취소되었다. 마리는 처음엔 안도했지만, 곧이어 깊은 피로움과 수치심에 시달렸다. 그녀는 수술실을 뛰쳐나왔고, 고해 신부가 필요하던 차에 나를 보았다. 나는 그녀의 바람대로 해주었다.

⁂

의과 대학원 4학년이 되자 많은 동기들이 방사선과나 피부과 같은 덜 고된 분야를 전공으로 선택하기 시작했다. 이런 상황이 어리둥절해서 다른 유명 의과 대학원의 경우는 어떤지 알아봤더니 별로 다르지 않았다. 대부분의 학생들은 근무 일정이 좀 더 여유롭고 연봉은 더 높고 스트레스는 덜한, '느긋한 생활'을 즐길 수 있는 전공 분야로 눈을 돌렸다. 입학 논술에서 그들이 내세웠던 이상주의는 물러지거나 아예 사라졌다. 졸업이 가까워지자 예일 대학의 전통에 따라 우리는 졸업식 선서를 작성했다. 히포크라테스, 마이모니데스, 오슬러를 비롯해 위대한 의학계 선조들의 격언들을 섞어서 썼는데, 일부 학생들이 의사보다 환자의 이익을 중시하자는 표현을 빼자고 주장했다. 나머지 학생들은 이 논의가 오래 지속되지 못하도록 막았다. 그 표현은 결국 끝까지 남았다. 나는 이런 자기중심주의가 의학의 본질에 상반된다고 생각하면서도, 그런 주장에 합리적인 면도 있다고 보았다. 실제로 99퍼센트의 사람들이 연봉, 근무 환경, 근무 시간을 고려하여 직업을 선택한다. 그러나 원하는 생활방식에 중점을 두고 선택하는 건 직업이지, 소명이 아니다.

나는 전공으로 신경외과를 선택할 생각이었다. 이 선택을 놓고 한동안 고심했지만, 어느 날 밤 수술실에서 얼마 떨어지지 않은 병실에서 결심을 굳히게 되었다. 그날 밤 큰 뇌종양을 가진 아이가 두통을 호소하며 병원에 왔다. 소아신경외과 의사가 그 아이의 부모와 앉아서 이야기를 나누었는데, 나는 그의 말을 들으며 경외감을 느꼈다. 그는 치료뿐만아니라 인간적인 측면에 대해서도 언급하면서, 아이의 비극적인 상황을 인정하고 길잡이 역할을 해주고 있었다. 공교롭게도 아이의 어머니는 방사선 전문의였고 종양은 악성인 모양이었다. 그녀는 정밀검사 결과를 이미 검토했고, 형광등 아래 넋이 나간 채 플라스틱 의자에 앉아 있었다.

"자, 클레어." 외과의가 부드러운 목소리로 말을 꺼냈다.

"보이는 것처럼 정말 안 좋은가요?" 아이의 어머니가 불쑥 끼어들며 말했다. "암일까요?"

"잘 모르겠습니다. 내가 아는 건, 그리고 물론 당신도 잘 알겠지만, 당신의 삶이 이제 막, 아니, 이미 변했다는 겁니다. 앞으로 기나긴 싸움이 될 거예요. 남편분도 살 들으세요.

서로를 위해 자기 자리를 잘 지켜줘야겠지만 필요할 때는 꼭 충분히 쉬어야 합니다. 이런 큰 병을 만나면 가족은 하나로 똘똘 뭉치거나 분열하거나 둘 중의 하나가 되죠. 그 어느 때보다 지금 서로를 위해 각자의 자리를 잘 지켜야 해요. 아이 아버지나 어머니가 침대 곁에서 밤을 새우거나 하루종일 병원에 있는 일은 없었으면 합니다. 아시겠죠?"

외과의는 다음 얘기로 넘어가, 예정된 수술, 예상되는 결과와 가능성, 지금 결정해야 하는 것들, 고려해야 하지만 당장 결정할 필요는 없는 사항, 아직 전혀 걱정할 필요가 없는 문제들을 설명했다. 대화가 끝났을 즈음 아이의 부모는 여전히 편치 않은 기색이었지만, 그래도 앞으로 닥쳐올 일과 마주할 준비는 된 것처럼 보였다. 나는 창백하고 칙칙하고 멍해 보이던 그들의 얼굴이 결연한 표정으로 바뀌는 모습을 지켜보았다. 그 자리에 앉아 있으면서 나는 모든 이가 언젠가는 마주치기 마련인, 삶과 죽음과 의미가 서로 교차하는 문제들은 대개 의학적 상황에서 발생한다는 것을 깨달았다. 실제로 이런 문제들과 마주치면, 필연적으로 철학적이고 생물학적인 주제를 파고들게 된다. 인간은 유기체이고, 물리법칙에 복종해야 하며 슬프게도 그 법칙에는 엔트로피의 증가도 포함되어 있다. 질병은 분자의 탈선에서 비롯된다. 삶의 기본적인 요건은 신진대사이며, 그것이 멈추면 인간은 죽는다.

모든 의사가 질병을 치료하는 동안, 신경외과의는 정체성이라는 혹독한 용광로 속에서 일한다. 모든 뇌수술은 필연적으로 인간의 본질인 뇌를 조작하며, 뇌수술을 받는 환자와 대화할 때에는 정체성의 문제에 직면할 수밖에 없다. 거기에 더해 뇌수술은 대개는 환자와 그 가족에게 인생에서 가장 극적인 사건이며, 그래서 인생의 중대한 사건들이 그렇듯 커다란 영향을 끼친다. 이처럼 결정적인 전환점에서 요점은 단순히 사느냐 죽느냐가 아니라 어느 쪽이 살 만한 가치가 있는가이다. 가령 당신이나 당신의 어머니가 몇 달 더 연명하는 대가로 말을 못한다면 어떤 선택을 할 것인가? 치명적인 뇌출혈이 일어날지도 모른다는 낮은 가능성을 완전히 제거하기 위해 시력 손상을 감수해야 한다면? 발작을 멈추려고 하다가 오른손을 못 쓰게 된다면? 당신의 아이가 얼마만큼 극심한 고통을 받으면 차라리 죽는 게 낫겠다고 말하게 될까? 뇌는 우리가 겪는 세상의 경험을 중재하기 때문에, 신경성 질환에 걸린 환자와 그 가족은 다음과 같은 질문에 답해야 한다. '계속 살아갈 만큼 인생을 의미 있게 만드는 것은 무엇인가?'

나는 가차없이 완벽을 추구하는 신경외과의 소명의식에 이끌렸다. 고대 그리스의 아레테(Arete, 덕성스러운 탁월함)라는 개념처럼, 덕(德)은 도덕적, 감정적, 정신적, 육체적 탁월함을 요구한다. 신경외과는 가장 도전적으로 또한 가장 직접적으로 의미, 정체성, 죽음과 대면하게 해줄 것 같았다. 막중한 책임을 지고 있어서인지 신경외과의들은 신경학, 방사선학, 중환자실 의학에도 조예가 깊었다. 나는 내 정신과 양손의 기술만 훈련해서는 부족하다는 것을 깨달았다. 눈을 비롯한 다른 기관들도 훈련이 필요했다. 감정적, 과학적, 정신적 문제가 가득한 숲으로 성큼성큼 들어가 활로를 개척하는 저 박식가들의 대열에 나도 낄 수 있을 거라는 생각은 그야말로 나를 도취시켰다.

의과 대학원을 졸업한 뒤 신혼이었던 루시와 나는 캘리포니아로 가서 레지던트 생활을 시작했다. 나는 스탠퍼드에서, 루시는 그리 멀지 않은 캘리포니아 대학 샌프란시스코 캠퍼스에서. 이제 공식적으로 학교의 보호에서 벗어나 진짜 책임을 져야 하는 때가 온 것이다. 레지던트 생활을 시작한 지 얼마 되지 않아 나는 여러 사람을 사귀었는데, 특히 레지던트 동기인 빅토리아, 몇 년 선배인 혈관외과 레지던트 제프와 친하게 지냈다. 앞으로 7년 동안 수련 과정을 거치면서 우리는 의학 드라마를 시청하던 입상에서 그 드라마의 주인공으로 성장하게 될 터였다.

생사의 현장에서 레지던트 1년차는 환자들의 파일을 관리하는 사무직원에 지나지 않지만, 그 일만으로도 업무량이 엄청났다. 병원에서의 첫날, 최고참 레지던트는 내게 이렇게 말했다. "신경외과 레지던트들은 최고의 외과의가 아니라 이 병원에서 최고의 의사가 되는 것을 녹표로 해야 합니다. 우리가 당신을 자랑스럽게 느끼도록 해주세요." 주임 교수는 병동을 지나가며 이렇게 말했다. "늘 왼손으로 식사하도록 하게. 양손을 다 잘 쓰는 법을 배워야 해."

한 선배 레지던트는 이런 말을 해주었다. "미리 귀띔해주자면 최고참이 지금 이혼 절차를 밟고 있는 중이라 그걸 잊으려고 일에만 매진하고 있어요. 그 사람과 잡담할 생각은 아예 하지 말아요." 나의 병원 생활 적응을 도와주기로 되어 있던 선배 레지던트는 내게 이것저것 알려주는 대신 마흔세 명의 환자 명단을 건네주었다. "내가 해주고 싶은 말은 이것뿐이에요. 병원 생활이 큰 상처를 줄 수도 있지만, 그래도 시간은 흘러가요."

첫 이틀 동안은 병원에서 나가지 못했지만, 하루 종일 걸리던 엄청난 양의 문서 업무도 오래지 않아 한 시간 만에 처리할 수 있게 되었다. 병원에서 일하다 보면 이 서류들이 그저 단순한 종이가 아니라, 위험과 승리로 가득한 이야기들의 조각이라는 사실을 알게 된다. 예를 들면 여덟 살 매슈는 어느 날 머리가 아파 병원에 왔다가 시상하부(hypothalamus) 근처에 종양이 있다는 것을 알게 되었다. 시상하부는 수면, 배고픔, 목마름, 섹스 등의 기본적인 욕구를 관장한다. 뇌에 있는 종양을 완전히 제거하지 못하면 매슈는 방사선 치료를 받거나, 추가 수술을 받거나, 뇌에 관을 단 채로 살아야 했다. 다시 말해 어린 시절을 몽땅 병원에 바쳐야 하는 것이다. 종양을 완전히 제거하면 그런 일을 막을 수 있지만 시상하부가 손상될 위험이 있고, 그러면 매슈는 자신의 욕구를 통제하지 못하게 된다. 곧 수술이 시작되었고, 집도의는 매슈의 코를 통해 작은 내시경을 집어넣은 뒤 두개골에 구멍을 뚫었다. 뇌의 내부를 살펴본 그는 선명한 표면 위에 자라 있는 종양을 제거했다. 며칠 뒤, 매슈는 병동을 신나게 돌아다니며 간호사들의 사탕을 몰래 빼가고 집에 갈 준비를 했다. 그날 밤, 나는 매슈의 끝없는 퇴원 서류를 즐거운 마음으로 작성했다.

화요일에 나는 내 첫 환자를 잃었다.

그녀는 여든둘의 노인으로 몸집이 작고 깔끔했으며, 내가 인턴으로 한 달을 지낸 일반외과 병동에서 가장 건강했다. (그녀를 검시한 병리학 전문의는 그녀의 실제 나이를 듣고서 말도 안 된다는 표정을 지었다. "장기만 보면 쉰 살이라고 해도 믿겠군!") 그녀는 가벼운 장 폐색성 변비로 입원했다. 장이 자연스럽게 풀리길 바라며 엿새를 기다린 후 우리는 결국 막힌 장을 뚫어주는 간단한 수술을 했다. 내가 월요일 밤 여덟 시에 병실에 들렀을 때 그녀는 정신도 초롱초롱했고 몸 상태도 아주 좋았다. 그녀와 이야기를 나누면서 나는 주머니에서 오늘 일정이 적힌 목록을 꺼내어 마지막 할 일을 지웠다. (수술 후 점검, 하비 부인.) 이젠 집에 가서 쉴 시간이었다.

자정이 조금 넘어 전화가 울렸다. 환자의 상태가 심각하다는 것이었다. 관료적 절차에 안주하던 느긋함은 순식간에 사라져버렸고, 나는 침대에서 벌떡 몸을 일으켜 앉아 신속하게 지시했다. "락테이트 첨가한 링거액 1리터, 심전도 검사, 흉부 엑스레이 서두르세요. 바로 갈게요." 나는 최고참 레지던트에게 전화했고, 그녀는 내게 검사를 추가하라고 지시한 뒤 상황을 잘 알아보고 다시 전화하라고 했다. 서둘러 병원으로 가보니 하비 부인은 숨을 세내도 못 쉬고 있었다. 심장이 빨리 뛰고 혈압이 크게 떨어지고 있었다. 어떤 조치를 취해도 상태가 좋아지지 않았다. 게다가 그 시간에 병원에 있는 일반외과 레지던트는 나뿐이었기에 호출기가 쉴 새 없이 울려댔다. 그냥 넘어가도 괜찮은 호출(수면제가 필요한 환자들)도 있고 무시할 수 없는 호출(응급실 환자의 대동맥류 파열)도 있었다. 나는 내 키보다 깊은 물에 빠져 정신없이 허우적거리고 있었고, 하비 부인의 상태는 호전될 기미가 보이지 않았다. 결국 그녀를 중환자실로 이송했고, 그곳에서 우리는 부인을 살리려고 약물과 수액을 공격적으로 투여했다. 이후 몇 시간 동안 나는 생명이 위중한 응급실 환자와 중환자실에서 죽어가는 환자 사이를 뛰어다녔다. 새벽 다섯 시 사십오 분쯤 응급실의 환자는 수술실로 갔고, 하비 부인은 비교적 상태가 안정되었다. 그녀의 죽음을 막기 위해 우리는 링거액 12리터, 수혈 팩 두 개, 산소 호흡기, 세 종류의 서로 다른 혈압 상승제를 동원했다.

나는 화요일 오후 다섯 시에 병원을 나섰는데, 하비 부인의 상태는 호전되지 않았고 오히려 더 악화되었다. 오후 일곱 시에 전화가 울렸다. 하비 부인이 심정지를 일으켜 중환자실 팀이 심폐소생술을 시도 중이라고 했다. 나는 황급히 다시 병원으로 돌아갔고, 부인은 간신히 위기를 넘겼다. 나는 만약을 대비해 집으로 돌아가지 않고, 병원 근처에서 간단히 요기를 했다.

여덟 시가 되자 전화가 또 울렸다. 하비 부인이 사망했다는 것이었다.

나는 잠을 자려고 집으로 돌아갔다.

나는 분노와 슬픔 사이의 어딘가에 있었다. 이유야 어떻든 하비 부인은 수많은 서류 작업 끝에 내가 맡게 된 환자였다. 다음날 나는 그녀의 검시에 참여하여, 병리학 전문의들이 그녀를 절개하고 장기를 꺼내는 모습을 지켜보았다. 나는 그 장기들을 직접 만지고 세밀히 살피며 내가 그녀의 창자에 묶었던 매듭들을 확인했다. 그때부터 나는 환자를 서류처럼 대할 것이 아니라 모든 서류를 환자처럼 대하기로 결심했다.

그 첫해 동안 나는 여러 죽음과 마주쳤다. 스쳐지나가듯이 본 적도 있고, 환자와 같은 공간에서 당혹스러워하며 직접 지켜본 적도 있다. 다음은 내가 목격한 몇 가지 죽음의 사례이다.

1. 알코올 중독자였던 이 환자는 피가 응고되지 않고 관절 속과 피부 아래까지 흘러들어가 사망했다. 매일 멍이 몸에 번져갔

다. 의식이 혼미해지기 전에 그는 내 얼굴을 보며 이렇게 말했다. "이건 불공평해요. 난 여태껏 술을 물에 타서 마셨는데."

2. 폐렴으로 죽어가던 한 병리학 전문의는 가래 끓는 소리를 내며 씨근거리다 결국 병리검사실로 옮겨졌다. 생전에 수많은 시간을 보냈던 곳으로 마지막 여행을 떠난 셈이었다.

3. 한 환자는 얼굴에 번개처럼 찌릿하고 지나가는 통증 때문에 가벼운 신경외과 치료를 받고 있었다. 정맥이 신경을 누르지 못하도록 해당 신경에 액상 접착제 한 방울을 투입했다. 일주일 뒤 그는 엄청난 두통을 호소했다. 거의 모든 종류의 검사를 실시했지만 어떤 진단도 내리지 못했다.

4. 자살, 총상, 술집에서의 격투, 오토바이 사고, 차량 충돌 사고, 사슴의 공격 등으로 인한 두부외상 사례들.

때때로 죽음의 무게가 손에 잡힐 듯 뚜렷하게 느껴지기도 했다. 스트레스와 고통이 공기 중에 감돌았다. 평소에는 그 공기를 들이마시면서도 알아채지 못했다. 하지만 습하고 후텁지근한 날처럼, 공기의 무게 때문에 질식할 것 같은 날도 있었다. 또 어떤 날은 끝이 보이지 않는 여름날의 정글에 갇혀 온몸이 땀에 젖은 채, 환자의 가족이 흘리는 눈물을 비처럼 맞고 있는 느낌이 들기도 했다.

2년차가 되면 레지던트는 응급실에 가장 먼저 달려간다. 내가 구할 수 없는 환자도 있고 구할 수 있는 환자도 있다. 어느 날 혼수상태에 빠진 환자를 응급실에서 수술실로 옮기고 두개골에서 피를 빼내지 환자는 깨어나서 가족에게 말을 건넸고 머리에 절개 자국이 남았다며 불평하기 시작했다. 나는 그런 모습을 지켜보며 성취감에 도취된 나머지 병원 안을 계속 이리저리 돌아다녔다. 새벽 두 시가 되어서야 길을 잃었다는 걸 깨달았다. 돌아가는 길을 찾는 데 45분이 걸렸다.

레지던트 근무 일정은 희생을 요구했다. 우리는 일주일에 100시간 정도 일했다. 공식적인 규정으로는 88시간으로 근무 시간이 제한되어 있었지만, 일을 끝내려면 늘 시간이 모자랐다. 눈은 침침해져서 눈물이 나고, 머리는 두통으로 욱신거렸다. 새벽 두 시에는 에너지 음료를 들이켰다. 일할 때는 어떻게든 버틸 수 있었지만 병원을 나서기만 하면 파김치가 되었다. 나는 주차장에 있는 내 차까지 휘청거리며 걸어갔고, 차로 15분 거리인 집까지 가는 것도 비거워 운전석에 앉아 조는 일이 빈번했다.

모든 레지던트가 압박감을 견뎌냈던 건 아니다. 자신의 잘못이나 책임을 받아들이지 못하는 사람도 있었다. 그는 능력 있는 외과의였지만 자신의 실수를 인정하지 못했다. 하루는 휴게실에서 그가 의사 경력에 흠이 될지도 모르니 한 번만 도와달라고 내게 간청했다.

나는 이렇게 말했다. "네가 할 일은 단 하나야. 내 얼굴을 똑바로 보고, '미안해. 그건 내 실수였어. 다시는 이런 일 없도록 할게'라고 말하면 돼."

"하지만 그 간호사가……."

"아냐. 진심으로 그렇게 말할 수 있어야 해. 다시 해봐."

"하지만……."

"어서 말하라니까."

이런 식으로 한 시간이 흘러갔고 나는 그가 의사로서 성공하기는 틀렸다는 걸 알았다.

스트레스를 견디다 못해 아예 그만두는 레지던트도 있었다. 그녀는 비교적 부담이 덜한 컨설턴트로 다시 출발했다.

이보다 훨씬 더 큰 대가를 치르는 이들도 있었다.

기량이 발전할수록 내가 책임져야 할 부분도 점점 더 커졌다. 어떤 환자를 구할 수 있고 구할 수 없는지, 또 구해서는 안 되는지 제대로 판단하려면 손에 넣기 어려운 예지력이 필요하다. 나는 실수도 했다. 한 환자를 수술실로 급히 데려갔지만 그의 뇌를 완전히 구해내지는 못했다. 그 결과 환자의 심장은 뛰었지만, 그는 이제 말을 하지 못하고 튜브를 통해 음식을 먹었다. 그가 결코 원하지 않았을 모습으로 살아가게 된 것이다. 나는 이것이 환자의 사망보다 더 지독한 실패라는 생각이 들었다. 무의식 상태로 신진대사를 하는 이런 불완전한 생존 상태는 가족에게 견디기 힘든 짐이 되어 대개는 시설로 보내진다. 감정적인 정리를 아직 하지 못한 가족이 환자를 찾아오는 발길은 점점 뜸해지고 환자는 결국 치명적인 욕창이나 폐렴에 걸리고 만다. 환자가 언젠가 눈을 뜨지 않겠냐며 연명치료를 고집하는 가족도 있지만, 많은 환자들이 그렇지 않기에, 아니 그렇게 될 수 없기에 신경외과의는 선고를 내리는 법을 배워야 한다.

내가 이 직업을 택한 이유 중 하나는 죽음을 뒤쫓아 붙잡고, 그 정체를 드러낸 뒤 눈 한 번 깜빡이지 않고 똑바로 마주보기 위해서였다. 신경외과는 뇌와 의식만큼이나 삶과 죽음과도 밀접하게 연관된 아주 매력적인 분야였다. 나는 삶과 죽음 사이의 공간에서 일생을 보낸다면 연민을 베풀 줄 아는 사람이 되고 스스로의 존재도 고양시킬 수 있으리라 생각했었다. 하찮은 물질주의, 쩨쩨한 자만에서 최대한 멀리 달아나 문제의 핵심, 진정으로 생사를 가르는 결정과 싸움에 뛰어들고 싶었다. 그곳에서 어떤 초월성을 발견할 수 있지 않을까?

하지만 레지던트 생활 속에서 다른 무언가가 서서히 내 앞에 펼쳐지고 있었다. 두부외상 환자들을 끊임없이 접하다 보니, 생사의 순간에 뿜어져 나오는 강렬한 빛에 너무 가까이 있으면 그 순간의 본질을 보지 못하게 되는 건 아닐까 하는 의문이 들기 시작했다. 태양을 직접 응시하며 천문학을 배우겠다는 것과 마찬가지 아닐까? 나는 결정적 순간에 환자들과 함께하지 못하고 그저 그 순간에 서 있을 뿐이었다. 나는 많은 고통을 목격했고, 더 나쁘게도 그런 고통에 익숙해졌다. 핏속에서 익사할 듯 허우적거리면서도 그런 생활에 적응하고, 그 와중에 떠다니는 법, 수영하는 법을 배우며, 심지어는 같은 파도에 휘말리고 같은 뗏목에 매달린 간호사들이나 의사들과 유대관계를 맺으며 삶을 즐기기까지 한다.

동료 레지던트인 제프와 나는 외상 팀에서 함께 일했다. 다발성 두부외상 때문에 그가 나를 외상외과 집중치료실로 부를 때면, 우리는 늘 죽이 잘 맞았다. 제프는 환자의 복부 상태를 검토한 뒤 내게 환자의 인지 기능 예후를 물어보곤 했다. 한번은 내가 이렇게 대답했다. "음, 이 환자는 상원의원이 될 수 있겠어. 하지만 작은 주에서." 제프는 내 말을 듣고 웃었고, 이때부터 주의 인구수는 두부외상의 심각함을 나타내는 우리만의 지표가 되었다. "와이오밍이야 캘리포니아야?" 제프는 치료 계획의 수위를 결정해야 할 때면 내게 물었다. 아니면 내가 이렇게 말했다. "제프, 혈압이 불안정한 건 알지만 환자를 수술실로 데려가야겠어. 그렇지 않으면 이 환자는 워싱턴에서 아이다호로 가게 될 거야. 안정시킬 수 있겠어?"

어느 날, 구내식당에서 평소처럼 다이어트 콜라와 아이스크림 샌드위치로 점심을 때우고 있었는데, 심각한 외상 환자가 곧 들어올 거라는 메시지가 호출기에 떴다. 외상외과 집중치료실로 달려가 아이스크림 샌드위치를 컴퓨터 뒤에 숨기고 있는데, 응급구조사들이 바퀴 달린 침대를 밀고 들어와 세부 사항을 알려주었다. "22세 남자, 오토바이 사고, 시속 65킬로미터, 뇌수가 코로 나올 수도 있어요."

나는 곧장 치료를 시작해, 삽관 도구들이 담긴 트레이를 요청하면서 환자의 다른 생체 기능을 검토했다. 삽관이 안전하게 끝나자 환자의 여러 부상을 살폈다. 멍든 얼굴, 도로에서 구르면서 입은 찰과상, 확대된 동공. 우리는 뇌가 더 부풀어 오르는 걸 막기 위해 만니톨을 가득 주입한 뒤 얼른 스캐너로 정밀검사를 해보았다. 그 결과 두개골은 부서졌고, 넓은 부위에서 심한 출혈이 있었다. 나는 머릿속으로 이미 두피 절개를 계획하면서, 어떻게 두개골에 구멍을 뚫고 피를 뽑아낼지 생각하고 있었다. 하지만 환자의 혈압이 갑자기 곤두박질쳤고, 우리는 황급히 환자를 외상외과 집중치료실로 옮겼다. 막 외상 팀의 다른 사람들이 도착했을 때 환자의 심장이 멈추었다. 환자 주변에서 팀원들이 정신없이 움직였다. 허벅지의 넙적다리동맥(股動脈, femoral artery)으로 카테터*가 들어가, 관들이 흉부 깊숙이 삽입되고, 정맥으로 약물이 주입되었다. 그러는 내내 우리는 혈액이 계속 순환되게 하려고 그의 가슴을 주먹으로 쳤다. 그리고 30분 뒤, 우리는 그가 숨을 거둘 수 있도록 치료를 멈췄다. 이 정도의 두부외상이라면 죽는 편이 낫다는 생각에 다들 조용히 동의했다.

가족이 숨을 거둔 환자를 보러 들어올 때 나는 외상외과 집중치료실을 빠져나왔다. 그때 문득 기억이 났다. 내 다이어트 콜라, 내 아이스크림 샌드위치…… 그리고 외상외과 집중치료실의 찌는 듯한 열기. 응급실에는 나를 대신해줄 레지던트가 있었기에, 나는 내가 구할 수 없었던 환자 대신 아이스크림 샌드위치를 구하러 외상외과 집중치료실로 유

●   체강 또는 내강이 있는 장기 내로 삽입하기 위한 튜브형의 기구.

령처럼 슬그머니 다시 들어갔다.

냉동실에 30분 정도 넣어두니 아이스크림 샌드위치는 원래대로 돌아왔다. 가족이 사망한 환자에게 작별인사를 건넬 때 나는 이에 낀 초콜릿 칩을 떼어내며 굉장히 맛있다고 생각했다. 의사로 지낸 짧은 시간 동안 도덕적으로 나아지기는커녕 퇴보한 건 아닌가 하는 생각이 들었다.

며칠 뒤, 나는 의과 대학원 동창인 로리가 교통사고를 당해 신경외과에서 수술을 받았다는 이야기를 들었다. 그녀는 심정지를 일으켰다가 회생했으나 다음날 사망했다. 나는 더 자세한 내용을 알고 싶지 않았다. 누군가가 '교통사고로 죽었구나' 하고 그냥 넘겨버리던 시절은 아주 오래전에 지나가버렸다. 레지던트인 내게 그런 소식은 판도라의 상자를 여는 것처럼, 그 안에 있는 모든 음울한 이미지들을 연상시켰다. 들것에 실려 이동하는 모습, 치료실 바닥에 흐르는 피, 목에 밀어넣은 관, 주먹으로 가슴을 치는 장면. 내 두 손이 보인다. 내 손은 로리의 머리카락을 밀고 있다. 메스가 그녀의 두피를 절개하고, 요란한 드릴 소리와 함께 뼈가 타는 냄새가 난다. 뼛가루가 수술대 위에서 흩날리고, 내가 그녀의 두개골을 열어젖힐 때 우지끈 소리가 난다. 그녀의 머리카락은 반쯤 면도되어 있고, 두부는 흉하게 변형되어 있다. 로리는 더 이상 예전의 그녀가 아니다. 그녀는 친구와 가족에게 낯선 사람이 되어버린다. 가슴에는 관이 꽂혀 있고, 다리는 견인 치료를 받고…….

나는 세부적인 내용을 묻지 않았다. 이미 지나치게 많이 알고 있었기에.

그 순간 환자의 입장을 이해하지 못했던 예전의 기억들이 몰려왔다. 걱정하는 환자에게 퇴원을 밀어붙였던 일, 다른 급한 일들 때문에 환자의 고통을 외면했던 일. 내가 진찰하고, 기록하고, 몇 가지 진단으로 깔끔하게 분류해버린 환자들의 고통, 그리고 내가 보지 못한 고통의 의미들이 전부 부메랑이 되어 내게로 돌아왔다. 복수심에 불타고, 분노하고, 냉혹한 모습으로.

나는 톨스토이가 묘사한 정형화된 이미지의 의사, 무의미한 형식주의에 사로잡혀 기계적으로 질병을 치료하는 의사로 변해가고 있는 게 아닐까 두려웠다. 그리고 더 중요한 인간적인 의미를 완전히 놓치고 있는 건 아닐까 두려웠다.

의사들은 한 명씩 그녀를 찾아와 진찰하면서 주로 프랑스어, 독일어, 라틴어로 말하고, 서로를 비난하며, 그들이 알고 있는 모든 질병에 쓰는 온갖 약들을 처방했다. 하지만 나타샤가 앓고 있는 병이 무엇인지 모른다는 단순한 생각을 그 누구도 하지 못했다.

한 어머니는 뇌암 진단을 받고 내게 찾아왔다. 그녀는 혼란과 두려움, 불안감에 짓눌려 있었다. 당시 나는 아주 피곤하고 멍한 상태였다. 그녀의 질문에 서둘러 대답하고 수술이 잘될 거라고 장담하면서, 그녀에게 일일이 답해 줄 시간이 없다고 스스로를 납득시켰다. 하지만 나는 왜 좀 더 시간을 내지 않았을까? 어느 퇴역 군인은 몇 주 동안 공격적인 태도로 의사, 간호사, 물리치료사의 조언과 위로를 거부했다. 그 결과 우리가 경고했던 것처럼 그의 등에 난 상처가 더 나빠졌다. 나는 그를 수술실로 불러 벌어진 상처를 꿰맸고, 그는 고통을 못 이겨 비명을 내질렀다. 나는 자업자득이라고 생각했다.

하지만 자업자득이란 없다.

나는 윌리엄 카를로스 윌리엄스와 리처드 셀저*가 이보다 더 나쁜 일을 했다고 고백했던 것을 떠올리며 조금이나마 위로 받았고, 앞으로 더 잘하겠다고 다짐했다. 미극과 실패를 겪으며 환자와 가족들 간의 관계 말고 의사와 환자 간

---

* 두 사람 모두 의사 출신의 미국 문인이다.

의 아주 중요한 관계를 내가 잊고 있는 건 아닐까 두려웠다. 기술적인 탁월함만으로는 충분하지 않았다. 레지던트로서 내가 꿈꾸었던 가장 높은 이상은 목숨을 구하는 것이 아니라(누구나 결국에는 죽는다), 환자나 가족이 죽음이나 질병을 잘 이해하도록 돕는 것이었다. 환자가 치명적인 두부 출혈로 병원에 들어올 때, 신경외과의와 나누는 첫 대화는 환자의 가족이 죽음을 기억하는 방식에 결정적인 영향을 미친다. 환자를 평화롭게 보내줄 수도 있고("천명이 다해서 떠난 거야"), 아니면 결코 아물지 않는 회한으로 남을 수도 있다("그 의사들은 우리 말을 귓등으로도 안 들었어! 그 아이를 구하려는 시늉조차 안 했다고!"). 메스로 해결될 상황이 아니라면, 외과의가 선택할 수 있는 도구는 따뜻한 말뿐이다.

심각한 뇌 손상으로 인한 독특한 고통은 때로는 환자보다 가족에게 더 큰 아픔을 준다. 그래서 그 의미를 완전히 납득하지 못하는 건 의사뿐만이 아니다. 뇌를 다쳐 머리를 깎고 누워 있는 사랑하는 이의 주변에 모인 가족들 역시 그 의미를 완전히 깨닫지 못한다. 그들은 과거를 본다. 그동안 쌓아온 추억, 새삼 느껴지는 사랑의 감정, 이 모든 것을 그들 앞에 놓인 몸이 대변한다고 생각한다. 하지만 나는 앞으로 들이닥칠 미래를 본다. 외과 수술로 목에 뚫은 구멍을 통해 연결된 호흡보조기, 복부에 낸 구멍으로 한 방울씩 똑똑 떨어지는 투명한 액체, 장기간 지속되는 고통스러운 치료 과정과 불완전한 회복. 때로는 환자가 사람들이 기억하는 예전의 모습으로 되돌아가지 못하는 경우도 많다. 이런 순간 나는 대부분의 경우 죽음에 맞서 싸우는 전사가 아닌 죽음의 전령사 역할을 했다. 가족들에게 그들이 기억하는 사람(온전하고 생기가 넘치는 독립적인 사람)은 이미 과거의 사람이고, 환자가 어떤 미래를 원할 것인지 알아내기 위해 그들이 가진 정보가 필요하다는 점을 이해시켜야 했다. 편안한 죽음을 원할까, 아니면 회복을 기대할 수 없는 상황인데도 액체가 들어가고 나오는 여러 주머니들과 끈을 매달고 연명하는 삶을 원할까.

젊은 시절 신앙심이 좀 더 깊었다면 나는 목사가 되었을 것이다. 내가 추구했던 건 목사의 역할이었으니까.

이렇게 관점을 바꾸고 나니, 환자가 수술을 의사에게 위임하는 서류에 서명하는 사전 동의는 신약 광고에 덧붙이는 해설처럼 모든 위험을 최대한 빠르게 줄줄 읊어주는 법적 행동이 아니라 고통 받는 동포와 굳은 약속을 맺는 기회가 되었다. '이제부터 우리는 함께입니다. 여기 헤쳐 나갈 길이 있습니다. 나는 최선을 다해 당신을 회복의 길로 인도할 것을 약속합니다.'

이즈음 나는 좀 더 유능하고 노련한 레지던트가 되어 있었다. 마침내 조금은 숨을 돌릴 여유가 생겼고, 이제는 필사적으로 매달리지 않아도 됐다. 그리고 내가 맡은 환자의 안녕에 대한 전적인 책임을 받아들이게 되었다.

그리고 아버지를 많이 떠올렸다. 의과 대학원생 시절 루시와 나는 킹맨에서 아버지의 병원 회진을 함께하며 아버지가 환자들을 편안하고 부담 없이 대하는 모습을 보았다. 심장 치료를 받고 회복 중이던 한 부인에게 아버지는 이렇게 말했다. "배고프세요? 드시고 싶으신 건 있어요?"

"뭐라도 먹고 싶어요. 배가 등에 붙겠어요."

"자, 그럼 랍스터와 스테이크는 어떠신가요?" 아버지는 간호사실에 전화를 걸었다. "환자분께서 랍스터와 스테이크를 드시고 싶다는군요. 지금 당장이요!" 아버지는 전화를 끊고 다시 부인을 바라보고 미소를 띠며 말했다. "곧 올 겁니다. 하지만 음식이 칠면조 샌드위치처럼 보일 수도 있다는 건 미리 알아두세요."

아버지가 환자들과 이렇게 편하게 지내며 신뢰감을 심어

주는 모습은 내게 큰 영감을 주었다.

　서른다섯 살의 한 여자 환자가 잔뜩 겁에 질린 표정으로 중환자실 침대에 앉아 있었다. 그녀는 여동생의 생일 선물을 사기 위해 쇼핑을 하던 중에 발작으로 쓰러졌다. 검사 결과 뇌에 생긴 양성 종양이 우측 전두엽을 짓누르고 있었다. 수술 위험도를 생각하면, 종양의 종류도 위치도 최상의 상태였다. 수술을 하면 거의 완벽하게 종양을 제거할 수 있고, 발작도 깨끗이 치료할 수 있을 것이었다. 수술을 받지 않고 독한 항발작제를 평생 복용하며 사는 방법도 있었다. 그녀는 무엇보다도 뇌수술을 받아야 한다는 생각 때문에 걱정스러운 모양이었다. 그녀는 낯선 장소에서 외로움을 느끼고 있었다. 왁자지껄한 친숙한 쇼핑센터에 있다가 갑자기 중환자실에서 소독제 냄새를 맡으며 생경한 '삐' 소리를 듣고 있으니 충분히 그럴 만도 했다. 만약 내가 수술 시 발생할 수 있는 모든 위험과 예상되는 합병증을 무심하게 떠들어댄다면 그녀는 수술을 거절할 것이 뻔했다. 물론 나는 그렇게 할 수도 있었다. 차트에 환자가 수술을 거부했다고 기록하고, 내 일은 여기서 끝났다고 생각하며 다음 일로 넘어갈 수도 있었다. 하지만 나는 그녀의 허락을 받아 그녀의 가족을 한데 불러 모아놓고 그들이 선택할 수 있는 방법들에 대해 차분하게 얘기를 나눴다. 이야기를 나누는 동안, 어떤 선택을 해야 할지 막막하기만 하던 그녀는 힘겹지만 납득할 만한 결정을 내릴 수 있게 되었다. 나는 그녀를 해결해야 할 문제가 아니라 한 인간으로 보았다. 그녀는 수술을 선택했고, 수술은 순조롭게 진행되었다. 그녀는 이틀 뒤에 퇴원했으며 다시는 발작을 일으키지 않았다.

큰 병은 환자는 물론이고 가족 전체의 삶을 바꾸어놓는다. 하지만 뇌 질환은 거기에 난해하고 신비한 분위기가 더해진다. 아들의 죽음만으로도 부모의 정돈된 세계는 뒤집혀 버린다. 그런데 환자의 뇌는 죽었고 몸은 따뜻하고 심장도 여전히 뛰고 있다니, 이보다 더 이해할 수 없는 일이 있을까? 재앙(disaster)이라는 단어의 어원은 부서지는 별을 의미하는데, 신경외과의의 진단을 들었을 때 환자의 눈빛이 바로 그렇다. 때로는 그 소식이 너무 충격적이어서 뇌파가 일시 중단되며 고통 받는 경우도 있다. 이런 현상을 '심인성' 증후군이라고 한다. 사람들이 나쁜 소식을 들었을 때 경험하기도 하는 졸도의 심각한 형태이다.

내 어머니도 이런 일을 겪었다. 1960년대 인도의 시골에서 여자가 대학 교육을 받기는 무척 힘든 일이었지만, 할아버지는 어머니가 교육 받을 권리를 인정해주었고, 그 덕분에 어머니는 대학에 진학했다. 그랬던 할아버지가 오랜 투병 생활을 이기지 못하고 돌아가시자 어머니는 심인성 발작을 일으켰다. 그 발작은 어머니가 고향으로 돌아가 장례식에 참석할 때까지 계속되었다.

내 환자 중 한 사람은 뇌암이라는 진단을 받고 갑자기 혼수상태에 빠졌다. 나는 실험, 뇌 촬영, 뇌전도 검사 등의 조치를 취하며 기절의 원인을 찾았지만 헛된 일이었다. 결국 가장 단순한 시험이 가장 확실했다. 나는 환자의 팔을 얼굴 위로 들어올렸다가 손에서 놓았다. 심인성 혼수상태에 빠진 환자는 자기 자신을 때리는 일을 피하려는 의지 정도는 가지고 있다. 심인성 혼수상태인 경우 치료법은 환자가 알아듣고 깨어날 때까지 지속적으로 안심시켜주는 말을 해주는 것이다.

뇌암에는 두 종류가 있다. 하나는 뇌에서 생겨나는 원발암(primary cancer)이고, 다른 하나는 몸의 다른 부분, 흔히 폐에서 옮겨 오는 전이암(metastatic cancer)이다. 외과 수술로 뇌암을 치료할 수는 없지만 환자의 수명을 연장시킬 수는 있다. 뇌암 환자의 대다수는 1년에서 2년 사이에 사망한다. 옅은 녹색 눈을 가진 50대 후반의 리 부인은 나를 만나기 이틀 전 160킬로미터 정도 떨어진 그녀의 집 근처 병원에서 1차 진료를 받은 후 우리 병원으로 옮겨왔다. 격자무늬 셔츠 자락을 빳빳한 청바지 안에 밀어넣은 그녀의 남편은 손가락에 낀 결혼반지를 초조하게 만지작거리며 침대 옆에 서 있었다. 나는 내 소개를 하고 나서 의자에 앉았고, 부인은 자신의 이야기를 들려줬다. 지난 며칠 동안 그녀는 오른손이 저렸는데, 점점 손을 마음대로 쓸 수 없게 되어 급기야 블라우스의 단추도 못 잠그는 지경에까지 이르렀다. 뇌졸중이 염려된 그녀는 지역 병원 응급실을 찾았고, 그곳에서 MRI를 촬영한 뒤 이곳으로 보내졌다.

"MRI 결과는 들으셨습니까?" 내가 물었다.

"아니요." 전하기 어려운 소식일 때 흔히 그렇듯 그들이 또 책임을 전가한 것이다. 나쁜 소식을 전하는 게 누구 소관인지를 두고 종양학 전문의들이 서로 옥신각신하는 일은 빈번하다. 나도 똑같은 짓을 몇 번이나 했던가. 어쨌든 여기서 마무리를 지어야 한다는 생각이 들었다.

"알겠습니다. 우리가 해야 할 이야기가 많겠군요. 괜찮으시다면 부인께서 지금 이 상황을 어떻게 이해하고 있는지 말씀해주시겠습니까? 그게 제게는 큰 도움이 됩니다. 그래야 모든 걸 확실하게 답변해드릴 수 있어요."

"음, 뇌졸중인 줄 알았는데…… 그게 아닌가 봐요?"

"네. 뇌졸중이 아닙니다." 나는 잠시 말을 멈췄다. 그녀가 지난주까지 살아왔던 삶과 앞으로 살게 될 삶 사이에는 엄청난 간극이 있을 것이었다. 이 부부는 뇌암이라는 말을 들을 준비가 되지 않은 것처럼 보였다. 하긴 누군들 그럴까? 나는 그래서 일단 몇 걸음 뒤로 물러나기로 했다. "MRI 촬영 결과를 보면 부인의 뇌에 덩어리 하나가 보입니다. 그게 증상을 유발하고 있어요."

침묵이 흘렀다.

"MRI 결과를 보여드릴까요?"

"네."

나는 침대 옆의 컴퓨터에 MRI 사진을 띄웠다. 그리고 환자가 사진을 알아볼 수 있도록 그녀의 코, 눈, 귀의 위치를 가리켰다. 그런 뒤 사진을 조금 위로 올려 종양을 보여주었다. 검게 괴사한 것처럼 보이는 중심부를 울퉁불퉁한 흰색 원이 둘러싸고 있었다.

"저게 뭔가요?" 부인이 물었다.

'뭐든 될 수 있습니다. 감염일 수도 있겠죠. 수술이 끝나야 알 수 있습니다.'

나는 질문을 피하려는 평소의 성향을 아직 못 버리고 있었다. 환자 부부의 명백한 우려를 확인해 주지 않고 그들의 머릿속에서 떠다니게 내버려두었다.

"수술이 끝나기 전까지는 확실하게 알 수 없습니다." 나는 말을 시작했다. "하지만 뇌종양과 굉장히 흡사해 보입니다."

"암인가요?"

"다시 말씀드리지만, 수술로 저 부분을 제거한 뒤 병리학 전문의들이 검토하기 전까지는 분명하게 알 수 없습니다. 하지만 굳이 추측해본다면, 그렇다고 말씀드려야 할 것 같군요."

촬영 결과를 보면 아교모세포종(glioblastoma)이 틀림없었다. 공격적인 최악의 뇌암이었다. 그렇지만 나는 리 부인과 그 남편의 태도를 살펴가며 부드럽게 대화를 진행했다. 뇌암 가능성을 들은 두 사람에게 다른 얘기가 귀에 들어올까 싶었다. 커다란 그릇에 담긴 비극은 숟가락으로 조금씩 떠주는 것이 최고다. 한 번에 그릇을 통째로 달라고 요구하는 환자는 소수에 불과하고, 대다수는 소화할 시간이 필요하다. 리 부부는 예후를 묻지 않았다. 설명과 중대한 결정을 10분만에 해치워야 하는 외상과 달리, 이 경우에는 일을 천천히 진행할 수 있었다. 이후 며칠 동안 나는 그들과 상세하게 의견을 나눌 수 있었다. 먼저 수술에 수반되는 사항들을 알려주었다. 머리카락을 자르더라도 미용을 감안하여 조금만 자를 것이고, 수술 직후 팔에 힘이 빠질 수 있지만 곧 원래대로 돌아올 것이며, 모든 게 잘 풀리면 사흘 내로 퇴원할 수 있다. 이건 마라톤의 첫걸음이나 마찬가지고, 푹 쉬는 것이 중요하다. 마지막으로 나는 방금 내가 한 말을 전부 기억하지 않아도 된다고, 다시 한 번 모든 사항을 짚고 넘어갈 거라고 말했다.

수술이 끝난 뒤 우리는 다시 이야기를 나누면서 이번엔 화학 요법, 방사선 치료, 예후에 관해 의논했다. 이 즈음 내가 이미 체득한 몇 가지 기본 원칙이 있었다. 첫째, 상세한 통계 자료는 학술회의에나 어울리지 병실에는 어울리지 않는다. 권위 있는 통계인 카플란 마이어 생존분석 곡선은 시간 경과에 따른 생존 환자의 수를 보여준다. 우리는 그 분석을 척도로 삼아 병의 진행을 판단하고 병의 경중을 이해한다. 아교모세포종의 경우 생존 곡선이 급격히 떨어져 환자가 2년 후까지 생존하는 경우는 약 5퍼센트에 불과하다. 둘째, 정확한 것도 중요하지만, 희망의 여지는 반드시 남겨둬야 한다. '평균 생존 기간은 11개월입니다', '2년 안에 사망할 가능성이 95퍼센트입니다'라고 말하기보다는 '대다수 환자가 수개월부터 2~3년까지 생존합니다'라고 말하는 편이 낫다. 내가 보기엔 이것이 더 정직한 표현이다. 문제는 환자가 곡선의 어디에 있다고 정확히 말할 수 없다는 점이다. 이 환자는 6개월 만에 사망할 것인가, 아니면 60개월 만에 사망할 것인가? 필요 이상으로 정확성을 기하려고 하는 건 무책임한 짓이다. 출처가 분명하지 않은 구체적 수치를 제시하는 의사들이 있는데("의사 선생님이 나한테 6개월 남았다고 했어요"), 대체 그들은 어떤 사람이며 누가 그런 수치를 가르쳐주는 건지 나는 너무나 의아했다.

병명을 들으면 대부분의 환자는 침묵을 지킨다. (patient 라는 단어의 초기 뜻 중 하나는 '불평 없이 곤경을 견디는 자'이다.) 품위를 지키기 위해서건 충격 때문이건 보통은 아무 말도 하지 않는다. 그래서 의사는 환자의 손을 잡는 것으로 의사소통을 시도한다. 곧바로 강한 모습을 보이는 사람도 간혹 있다(대개는 환자 본인보다 배우자). "우리는 싸워서 이겨낼 거예요, 선생님." 그들은 기도에서부터 재산, 약초, 줄기세포에 이르기까지 다양한 방법에 기댄다. 내 눈에는 그런 강인함이 절망에 맞서기 위한 불안정하고 비현실적인 낙관주의처럼 보인다. 어쨌든 수술에 직면할 때는 싸우겠다는 태도가 적당하다. 수술실에서, 쥐색의 썩어가는 종양은 뇌의 통통한 복숭앗빛 주름에 쳐들어온 침략자처럼 보였고 나는 정

말로 분노를 느꼈다. (실제로 '잡았다, 이 망할 놈'이라고 중얼거
렸다.)

리 부인의 종양은 만족스럽게 제거되었다. 비록 건강해
보이는 뇌 전체로 미세한 암세포가 이미 퍼졌다는 것을 알
았지만, 불가피해 보이는 재발은 나중에 생각할 문제였다.
한 번에 한 숟가락씩.

인간관계에서는 솔직함이 중요하지만 교회의 제단 뒤에
서 거대한 진실을 모두 폭로할 필요는 없다. 교회 본당 앞의
널따란 홀이든 신도석이든 환자들이 있는 곳에서 그들을 만
나 최대한 멀리 데려가는 게 중요하다.

하지만 그런 솔직함 때문에 치러야 하는 대가도 있었다.

레지던트 3년 차였던 어느 날 저녁, 나는 신경외과만큼
이나 힘든 혈관외과에서 근무하는 친구 세프를 우연히 만났
다. 우리는 서로가 낙담해 있는 걸 눈치챘다. "네가 먼저 말
해." 그가 말했다. 나는 신발 색깔이 잘못됐다는 이유로 머
리에 총을 맞고 입원한 아이가 결국 사망한 이야기를 들려
주었다. 나는 그 아이를 살릴 수 있을 줄 알았다. 최근 수술
이 불가능힐 만큼 치명적인 뇌종양 환자가 많았기 때문에
그 아이에게 꽤 큰 기대를 걸고 있었다. 하지만 아이는 이겨
내지 못했다. 세프는 아무 말도 하지 않았고, 나는 그의 이야

기를 기다렸다. 하지만 제프는 웃더니 내 팔을 툭 치면서 말했다. "자, 이렇게 또 한 가지 배웠네. 앞으로 일 때문에 기분이 처질 때는 신경외과 의사랑 이야기하면 기운이 나겠어."

그날 밤 늦게 나는 한 산모에게 그녀의 갓난아이가 무뇌아여서 곧 죽게 될 거라는 사실을 조심스럽게 알린 후 차를 몰고 집으로 가면서 라디오를 켰다. 미국 공영 라디오 방송(NPR)이 캘리포니아에서 계속되고 있는 가뭄을 보도하고 있었다. 갑자기 눈물이 내 얼굴을 타고 흘러내렸다.

이런 순간에 환자와 함께하는 건 분명 감정적으로 힘든 일이었지만 보람도 있었다. 왜 내가 이 일을 하는지, 과연 가치 있는 일인지 의문을 품은 적은 단 한 순간도 없었다. 생명(생명뿐만 아니라 다른 이의 정체성, 어쩌면 다른 이의 영혼이라 말해도 무방할 것이다)을 지켜줘야 한다는 소명의식은 이 일의 신성함에서 분명하게 드러났다.

나는 환자의 뇌를 수술하기 전에 먼저 그의 마음을 이해해야 한다는 사실을 깨달았다. 그의 정체성, 가치관, 무엇이 그의 삶을 가치 있게 하는지, 또 얼마나 망가져야 삶을 마감하고 싶은 생각이 드는지. 수술에 성공하려는 헌신적인 노력에는 큰 대가가 따랐고, 그 과정에서 생기는 불가피한 실패는 참기 힘든 죄책감을 안겨주었다. 이런 부담감은 의학을 신성하면서 동시에 불가능한 영역으로 만든다. 의사는 다른 사람의 십자가를 대신 지려다가 때로는 그 무게를 못 이겨 스스로 무너지고 마는 것이다.

레지던트 생활이 절반 정도 지나면 보충 훈련을 받는다. 신경외과는 단지 신경외과 분야뿐만 아니라 모든 방면에서의 **탁월함**을 요구하는, 아마도 의학계에서 유일무이할 기풍을 갖고 있다. 신경외과 의사들은 과감히 나아가 다른 분야에서도 뛰어난 모습을 보여야 자신의 분야에서 버틸 수 있다. 신경외과 의사이자 언론인인 산제이 굽타처럼 굉장히 대중적인 방향으로 나아가는 의사들도 있지만, 대부분의 신경외과의는 관련 분야에 집중한다. 가장 어려우면서도 가장 명망 높은 길은 신경외과의 겸 신경과학자가 되는 것이다.

레지던트 4년 차에 들어서면서 나는 신체가 마비된 사람들이 머리만 써서 컴퓨터 커서나 로봇 팔을 움직이도록 해주는 신경 보철 기술과 기초 운동 신경과학을 연구하는 스탠퍼드 대학의 한 연구소에서 일하기 시작했다. 연구소장은 전기공학과 신경생물학 교수이자 나와 같은 인도인 2세였는데, 모두가 그를 친근하게 '브이(V)'라고 불렀다. 브이는 나보다 일곱 살 더 많았지만, 우리는 친형제처럼 지냈다. 그의 연구소는 뇌 신호 판독에서 이미 세계 선두였는데, 나는 브이를 스승으로 삼아 그들의 연구에 참여했고 거꾸로 뇌에 신호를 써넣는 프로젝트에 착수했다. 만약 로봇 팔이 와인 잔을 얼마나 세게 잡고 있는지 스스로 인식하지 못하면 와인 잔은 수도 없이 깨질 것이다. 하지만 뇌에 신호를 써넣는 '신경조절술'은 그보다 훨씬 더 광범위한 파급 효과를 지닌다. 신경 점화를 통제할 수 있으면 우울증에서부터 헌팅턴 무도병, 조현병, 투레트 증후군, 강박장애에 이르기까지 현재 치료가 아주 힘들거나 불가능한 다수의 신경·정신 질환을 치료할 수 있게 될지도 모른다. 가능성은 그야말로 무한했다. 수술을 잠시 제쳐놓은 나는 '완전히 새로운' 일련의 실험을 수행하면서 유전자 치료에 새로운 기술을 적용하는 법을 배우기 시작했다.

연구실에서 일한 지 1년 정도 된 어느 날, 브이와 나는 주간 회의를 위해 함께 앉아 있었다. 나는 그와 대화하는 것을 좋아했다. 브이는 내가 아는 다른 과학자들과 달랐다. 말투가 부드러웠고 환자들과 임상의 사명에 큰 관심을 기울였으며, 종종 자신도 외과 의사였다면 좋았을 거라고 고백했다. 나는 과학이 어느 분야 못지않게 정치적이고 경쟁이 치열하고 공격적이며 쉬운 길을 찾으려는 유혹으로 가득한 학문이라는 걸 알게 되었다.

브이는 늘 정직하게(때로는 겸손하게) 전진하는 방법을 선택했다. 대다수의 과학사가 어떻게든 권위 있는 학술지에 자신의 글과 이름을 올리기 위해 부정도 묵인했지만, 브이는 과학적인 이야기에 충실하면서 그것을 타협 없이 말하는 것이 우리의 임무라고 주장했다. 나는 브이를 만나기 전까지는 크게 성공했음에도 미덕을 중시하는 사람을 본 적이 없었다. 그는 정말로 타의 모범이 되는 사람이었다.

그날 내 맞은편에 앉은 브이는 미소 대신 고통스러운 표정을 짓고 있었다. 그는 한숨을 쉬며 말했다. "지금은 자네가 의사로서 얘기해줬으면 좋겠어."

"알겠어요."

"내가 췌장암에 걸렸다는군."

"브이…… 알았어요. 더 얘기해보세요."

그는 점진적인 체중 감소와 소화불량 때문에 최근에 '예방 차원에서' CT 촬영을 했다고 털어놓았다. 이 단계에서는 전혀 통상적인 절차가 아니었다. 어쨌든 촬영 결과 브이의 췌장에서 덩어리가 발견되었다. 우리는 앞으로 벌어질 일들에 관해 이야기를 나누었다. 머지않아 받게 될 무서운 휘플 수술이 어떤 것인지(나는 그에게 "트럭에 치이는 기분일 거예요"라고 말했다), 최고의 외과의는 누구인지, 이 병으로 그의 아내와 아이들은 어떤 영향을 받을 것인지, 그가 오래 자리를 비우는 동안 연구소를 어떻게 운영할 것인지 등을 의논했다. 췌장암은 예후가 좋지 않은 병이지만, 브이의 경우엔 어떨지 알 수 없는 일이었다.

그는 잠시 침묵하다 말했다. "폴, 내 삶이 의미 있다고 생각해? 내가 옳은 선택을 한 것 같아?"

나는 그의 말을 듣고 깜짝 놀랐다. 내가 도덕적으로 본받아야 한다고 생각한 사람도 죽음에 직면하면 이런 의문이 드는 모양이었다.

브이가 받은 수술, 화학 요법, 방사선 치료는 견디기 힘든 것이었지만 그래도 성공적이었다. 1년 후 내가 치료 업무를 다시 보기 위해 병원으로 돌아가려던 즈음 그가 연구소로 복귀했다. 브이의 머리카락은 숱이 줄고 희끗희끗해졌다. 눈에서 번뜩이던 광채는 좀 둔해진 느낌이었다. 우리의 마지막 주간 회의에서 그는 내게 고개를 돌리며 말했다.

"오늘은 이 모든 게 가치 있어 보이는 첫날이야. 아니, 더 분명하게 말하자면, 아이들을 위해서 무슨 일이든 견뎌내며 여기까지 왔는데, 오늘은 그 모든 고통이 가치 있어 보이는 최초의 날이야."

환자는 의사에게 떠밀려 지옥을 경험하지만, 정작 그렇게 조치한 의사는 그 지옥을 거의 알지 못한다.

레지던트 6년 차가 되었을 때, 나는 병원으로 완진히 복귀했다. 브이의 연구소에서 진행하는 연구는 얼마 되지 않는 휴일이나 한가한 때에나 할 수 있었다. 대다수 사람, 심지어 가장 가까운 동료라도 신경외과 레지던트 생활이 얼마나 힘든 블랙홀인지 제대로 이해하지 못한다. 내가 좋아하던 간호사 중 한 명이 어느 날 밤 길고도 어려운 치료의 마무리를 돕기 위해 밤 10시까지 근무한 후 내게 물었다. "내일 쉬니까 참 다행이에요. 선생님도 쉬세요?"

"아니요."

"그래도 늦게 출근한다거나 그 비슷한 건 있겠죠? 보통 몇 시에 출근하세요?"

"새벽 6시요."

"세상에, 정말요?"

"그럼요."

"매일이요?"

"네, 매일이요."

"주말에도?"

"묻지 마세요."

레지던트 기간에는 하루는 길지만 한 해는 짧다는 말이 있다. 신경외과 레지던트의 일과는 보통 새벽 6시에 시작해서 수술이 끝날 때까지 계속된다. 그러니까 수술실에서 얼마나 손이 빠른가에 따라 근무 시간이 결정되는 것이다.

레지던트의 수술 기량을 판단하는 기준은 기술과 속도다. 엉성하거나 느려서는 안 된다. 첫 상처 봉합부터 정확하게 하려고 많은 시간을 잡아먹으면 스크럽 테크*는 이렇게 말한다. "여기 성형외과 선생님이 계신 모양이네요!" 아니면 이렇게 말할 수도 있다. "선생님 전략을 알겠네요. 상처 앞부분을 다 꿰매는 동안 나머지는 저절로 낫게 하려는 거군요! 두 배로 효율적으로 일하시네. 정말 영리하신데요!" 최고참 레지던트는 후배에게 이렇게 조언할 것이다. "지금은 빨리 하는 법을 배우도록 해. 잘하는 법은 나중에 배우면 되니까." 수술실에서는 모든 사람들의 눈이 시계로 향해 있다. 우선은 환자를 위해서다. 마취 시간 안에 수술을 끝내야 한

---

* scrub tech, 수술을 준비하고 보조하는 기술자.

다. 수술이 길어지면 환자의 신경이 손상되고, 근육이 약해지고, 신장이 망가질 수 있다. 그리고 수술을 빨리 끝내는 것은 수술실 안의 모든 사람들을 위해서이기도 하다. 오늘 밤엔 언제 이곳을 나가게 될까?

수술 시간을 단축하는 방법은 두 가지인데 거북이와 토끼 이야기를 예로 들면 가장 잘 이해가 될 것이다. 토끼는 최대한 빨리 움직인다. 손이 안 보일 정도로 빠르게 움직이고 도구들을 덜거덕거리며 사용하다가 바닥에 떨어트린다. 환자의 피부는 커튼처럼 스르르 열리고, 두개골을 덮는 피부는 뼛가루가 수술대에 내려앉기도 전에 트레이에 담긴다. 그 결과 절개가 완벽하게 이루어지지 않아 이쪽 저쪽 1센티미터씩 더 절개해야 할지도 모른다. 반면 거북이는 신중하다. 허투루 움직이는 법 없이 두 번 판단하고 한 번에 절개한다. 다시 손을 써야 하는 일은 발생하지 않는다. 모든 움직임이 세심하고 정연하다. 만약 토끼가 사소한 실수를 너무 많이 해서 미세하게 조정할 일이 계속 생긴다면 거북이가 이길 것이다. 만약 거북이가 각 단계를 계획하는 데 너무 많은 시간을 들인다면 토끼가 이길 것이다.

수술실에서의 시간이 재미있는 점은 정신없이 전속력으로 움직이든 차근차근 나아가든, 시간이 어떻게 흘러가는지도 전혀 모른다는 것이다. 하이데거의 말처럼 지루함이 시간의 흐름을 의식하는 것이라면, 수술은 그와 정반대이다. 고도로 집중하다 보니 시곗바늘이 제멋대로 움직이는 것처럼 보인다. 두 시간이 마치 일 분처럼 느껴진다. 마지막 바늘땀을 뜨고 상처를 치료하고 나면 갑자기 일상의 시간이 다시 시작된다. 휴우 하고 내쉬는 안도의 한숨 소리가 들리는 것만 같다. 이제 이런 궁금증이 생기기 시작한다. 환자가 깨어나려면 얼마나 걸릴까? 다음 수술은 또 언제일까? 오늘 밤엔 몇 시에 집에 갈 수 있을까?

마지막 일이 끝나기 전까지는 하루가 얼마나 길었는지, 얼마나 힘들었는지 실감나지 않는다. 병원에서 퇴근하기 전에 처리해야 하는 몇 가지 행정적인 일은 모루처럼 무겁게 느껴졌다.

내일로 미룰 수 있을까?

안 될 말이지.

한숨이 나왔다. 지구는 태양을 중심으로 계속 회전하고 있었다.

최고참 레지던트가 되자 나는 거의 모든 책임을 짊어져

야 했고 성공과 실패의 기회가 그 어느 때보다도 많이 주어졌다. 실패하면 괴로웠고, 기술적인 탁월함이 곧 도덕적 요건이라는 점을 절실히 깨달았다. 내 기술에 정말 많은 게 걸려 있거나, 불과 1~2밀리미터 차이로 비극과 성공이 갈릴 때에는 좋은 의도만으로는 충분하지 않았다.

어느 날, 몇 년 전 뇌종양으로 입원해 병동 사람들을 즐겁게 만들었던 소년 매슈가 다시 입원했다. 종양을 제거하는 수술을 하는 동안 그의 시상하부가 약간 손상을 입었는데, 그 결과 사랑스러웠던 여덟 살짜리 꼬마가 열두 살의 괴물이 되고 말았다. 매슈는 먹는 걸 멈추지 못했고, 폭력적인 발작을 일으켰다. 매슈 어머니의 팔에는 아이가 할퀴어서 생긴 보라색 흉터가 가득했다. 결국 매슈는 보호 시설로 보내졌다. 그는 1밀리미터의 손상 때문에 괴물이 되었다. 무슨 수술이든 위험보다 이익이 더 클 거라는 가족과 외과의의 판단 하에 결정되지만, 이런 일이 일어나면 가슴이 아프다. 매슈가 열두 살에 140킬로그램의 몸무게로 살아갈 것이라고는 그 누구도 생각하지 못했다.

어느 날, 나는 파킨슨병으로 인한 떨림을 치료하기 위해 환자의 뇌 속으로 9센티미터 깊이에 전극을 심었다. 이 치료의 표적은 시상밑핵(subthalamic nucleus)으로, 뇌의 깊숙한 곳에 있는 아몬드 모양의 작은 조직이었다. 시상밑핵의 각 부분들은 서로 다른 기능들(움직임, 인지, 감정)을 보조한다. 수술실에서 우리는 떨림을 측정하기 위해 전류를 흘려보냈고, 환자의 왼손을 보면서 떨림이 다소 나아졌다는 데 모두가 동의했다.

하지만 우리의 긍정적인 중얼거림 속에서 환자의 혼란스러운 목소리가 들렸다. "저…… 갑자기 너무 슬퍼요."

"전류를 멈춰요!" 내가 말했다.

"아, 이제 슬픔이 사라졌어요." 환자가 말했다.

"전류와 전기 저항을 다시 한 번 확인해봅시다, 알겠죠? 자, 그럼 전기를 켜요."

"아…… 모든 게 갑자기, 너무 슬퍼요. 우울하고, 그리고…… 슬퍼요."

"전극을 빼요!"

우리는 전극을 뇌에서 뺐다가 기존 위치에서 오른쪽으로 2밀리미터 떨어진 곳에 다시 삽입했다. 떨림은 사라졌다. 다행스럽게도 환자의 상태가 좋아졌다.

한번은 늦은 밤에 신경외과 담당의와 함께 뇌줄기(brainstem) 기형을 치료하기 위한 후두하(suboccipital) 두개골 절제술을 하게 되었다. 가장 까다로운 신체 부위를 다루어야 하는, 극도로 정밀성을 기해야 하는 수술이다. 경험이 아무리 많더라도 뇌줄기에 접근하는 것 자체가 어렵다. 하지만 그날 밤, 나는 수술이 물 흐르듯 부드럽게 진행되는 느낌을 받았다. 도구는 내 손가락이 연장된 것 같았고, 환자의 피부, 근육, 뼈는 스스로 열리는 것처럼 보였다. 나는 뇌줄기 깊숙한 곳에 반짝이며 부풀어 올라 있는 노란색 덩어리를 응시했다. 그런데 갑자기 담당의가 나를 막았다.

"폴, 여기서 2밀리미터 더 깊이 자르면 어떻게 되겠나?" 그가 한 곳을 가리키며 말했다.

나는 신경 구조를 머릿속에 떠올렸다.

"겹보임(double vision, diplopia)이 생기나요?"

"아니, 락트인 증후군(locked-in syndrome)* 상태에 빠지지." 2밀리미터를 더 자르면, 환자는 눈을 깜빡이는 것 말고는 완전한 마비 상태가 된다. 담당의는 현미경에서 고개를 들지 않은 채 말했다. "내가 이걸 아는 건 이 수술을 하면서 세 번 그런 일이 있었기 때문일세."

신경외과 수술에서 의사는 탁월한 기술을 발휘하는 건

---

* 뇌 줄기세포가 파괴되어 목 아래는 전신마비 상태이지만 의식이 있고 정신 활동도 정상인 희귀 질환.

물론이고 환자의 정체성도 신중히 고려해야 한다. 수술을 결정할 땐, 자신의 능력에 대한 정확한 평가와 환자가 누구인지, 또 그가 무엇을 소중하게 여기는지에 관한 깊은 이해가 필요하다. 일차 운동 피질 같은 특정 뇌 영역들은 거의 침범 불가능한 곳으로 간주된다. 손상되면 관련된 신체 부위가 마비되기 때문이다. 피질 중에서 가장 침범해선 안 되는 곳은 언어를 관장하는 부분이다. 보통 좌뇌에 있는데, 베르니케 영역과 브로카 영역이라 불린다. 전자는 언어의 이해를, 후자는 언어의 표현을 담당한다. 브로카 영역이 손상된 환자는 남의 말을 이해하더라도 본인은 말을 하거나 쓸 수가 없다. 베르니케 영역이 손상되면 말은 할 수 있지만 언어를 이해할 수 없다. 그래서 환자가 하는 말은 서로 무관한 단어, 구절, 이미지의 나열이 되어버린다. 의미 없는 문법이 되는 것이다. 두 영역이 모두 손상되면 환자는 인간의 가장 핵심적인 기능을 영원히 빼앗긴 채 고립된다. 환자가 두부외상이나 뇌졸중을 앓은 뒤 이런 영역이 파괴되면 환자를 살리겠다는 외과의의 의욕도 크게 저하되는 경우가 많다. 언어 없는 삶이 대체 무슨 의미가 있는가?

나는 의학도 시절 이런 문제로 고생하는 환자를 처음 만났는데 뇌종양이 있는 예순두 살의 남자였다. 나는 아침 회진 때 그의 병실로 들어갔고, 레지던트가 그에게 물었다.
"마이클스 씨, 오늘은 기분이 좀 어떠세요?"

"사 육 일 팔 십구!" 그가 다소 사근사근하게 대답했다.

종양이 그의 언어 회로를 차단하는 바람에 그의 말은 숫자들을 나열하는 것뿐이었지만 그는 여전히 나름의 운율 체계를 가지고 발음했고, 웃고, 노려보고, 한숨을 쉬는 등 감정도 표현할 수 있었다. 그가 또 다른 일련의 숫자를 말했는데, 이번에는 다급해 보였다. 뭔가 우리에게 말하려는 것이 있었지만, 숫자로는 그가 느끼는 두려움과 분노밖에 전달되지 않았다. 회진 팀은 병실을 나갈 준비를 했지만, 왠지 나는 발을 뗄 수가 없었다.

"십사 일 이 팔." 그가 내 손을 잡으며 간청했다. "십사 일 이 팔."

"죄송합니다."

"십사 일 이 팔." 그가 내 눈을 보며 애절하게 말했다.

나는 회진 팀을 따라 병실을 나섰다. 몇 달 뒤 환자는 사망했고, 그가 세상에 전하려 했던 말도 그와 함께 묻혔다.

언어를 관장하는 영역 주위에 종양이나 기형이 생기면, 외과의는 수많은 정밀검사와 상세한 신경심리학적 검토를 통해 예방책을 강구한다. 중요한 것은, 환자기 깨어서 말을 하는 상태로 수술이 진행된다는 것이다. 뇌가 노출되고 종양이 적출되기 전, 환자가 다양한 언어 과제(물건 이름 말하기, 알파벳 외우기 등등)를 수행하는 동안 외과의는 끝부분이 공모양인 전극을 쥐고 피질의 작은 영역에 전류를 흘린다. 전극이 피질의 중요 부위에 전류를 보내면, 환자의 말하기 능력에 지장이 생긴다. "A, B, C, D, E, 으어어어, F, G, H, I……." 이렇게 뇌와 종양을 검토하는 과정을 거쳐야 안전하게 절제할 수 있는 부분이 어디인지 결정할 수 있다. 그러는 내내 환자는 언어 과제와 잡담에 전념하며 깨어 있어야 한다.

어느 날 저녁, 나는 이런 환자의 수술 준비를 하면서 MRI를 검토했는데, 언어를 관장하는 영역을 종양이 완전히 뒤덮고 있었다. 조짐이 별로 좋지 않았다. 서류를 살펴보니, 외과의, 종양학 전문의, 방사선 전문의, 병리학 전문의로 구성된 종양 협진 위원회는 이 환자를 수술하는 것은 너무 위험하다는 판단을 내린 상태였다. 이런 상황에서 외과의가 어떻게 수술을 진행할 수 있단 말인가? 나는 약간 화가 났다. 환자에게 수술을 못 한다고 말하는 게 우리의 책무일 때도 있다. 그러는 사이 환자가 들것에 실려 수술실로 들어왔다. 그는 내 눈을 똑바로 쳐다보고 자신의 머리를 가리키면서 이렇게 말했다. "이 망할 뇌에서 그걸 꺼내달라고. 무슨 소린지 알아?"

담당의가 수술실로 들어왔다. 그는 내 표정을 봤는지 이렇게 말했다. "나도 알아. 수술하지 말자고 두 시간이나 설득했는데 씨알도 안 먹혀. 어쩔 수 없지 뭐. 준비는 됐나?"

환자는 알파벳을 외우거나 숫자를 세는 대신 수술 내내 욕설과 훈계를 멈추지 않았다. "그 망할 게 아직도 내 머리에서 안 나왔나? 왜 이렇게 굼떠? 빨리 하라고! 그 망할 걸 빨리 꺼내란 말이야. 종일 여기 있어도 돼. 그런 건 신경도 안 쓴다고. 그냥 꺼내란 말이야!"

나는 거대한 종양을 천천히 세기하면서 환자의 언어 능력에 조금이라도 문제가 생기지 않는지 주의를 기울였다. 환자의 독백은 그치지 않았고 종양은 페트리 접시 위에 놓였다. 깨끗해진 뇌가 빛나고 있었다.

"이거 왜 멈추고 이래? 당신들 원래 이렇게 멍청해? 내 머리에서 그 망할 것 좀 꺼내라고 했잖아!"

"끝났습니다. 적출됐어요." 내가 말했다.

대체 어떻게 그는 여전히 말을 할 수 있었을까? 종양의 크기와 위치를 고려하면 불가능한 일이었다. 욕설은 다른 회로에서 나오는 것일까? 어쩌면 종양이 그의 뇌를 바꿔버린 것일지도……

하지만 두개골은 저절로 닫히지 않을 것이었다. 내일 좀 더 깊이 생각해볼 시간이 있다.

나는 레지던트 생활의 정점에 올랐다. 핵심적인 수술은 대부분 통달했다. 연구 성과로 권위 있는 상을 여러 개 받았다. 나를 채용하고 싶다는 제안이 전국 곳곳에서 들어오기 시작했다. 스탠퍼드 대학은 신경 조정 기법에 주력하는 신경외과의 겸 신경과학자를 찾기 시작했고, 그 자리는 내 관심사에 딱 들어맞았다. 한 후배 레지던트는 내게 와서 이렇게 말했다. "윗분들한테 막 들었어요. 채용되신다면 제 교수님이 되시겠네요!"

"쉬쉬." 내가 말했다. "부정 타게 이러지 마."

생물학, 도덕, 삶, 그리고 죽음의 개별적인 가닥들이 마침내 서로 엮이기 시작하는 듯했다. 완벽한 도덕 체계는 아니더라도 일관성 있는 세계관이 잡히고 그 안에 내 자리를 찾아가는 듯한 느낌이었다. 긴장감 높은 분야의 의사는 삶과 정체성이 위협받고 삶이 굴절되는 가장 위급한 순간에 환자를 만나게 된다. 의사의 책무는 무엇이 환자의 삶을 가치 있게 만드는지 파악하고, 가능하다면 그것을 지켜주려 애쓰되 불가능하다면 평화로운 죽음을 허용해주는 것이다. 그런 책무를 감당하려면 철두철미한 책임감과 함께, 죄책감과 비난을 견디는 힘도 필요하다.

샌디에이고의 학술회의에 참석 중이던 어느 날 휴대전화가 울렸다. 동료 레지던트인 빅토리아였다.

"폴?"

뭔가 불길한 예감이 들었다. 나는 속이 메슥거렸다.

"무슨 일이야?" 내가 물었다.

잠시 침묵이 흘렀다.

"빅토리아?"

"제프 말이야. 자살했대."

"뭐?"

제프는 중서부의 한 병원에서 외과 특별 연구원 생활을 마무리하는 중이었다. 우리 둘 다 정신없이 바빠서 연락을 하지 못했다. 나는 제프와 마지막으로 나눈 대화를 떠올리려고 했지만 기억이 나지 않았다.

"뭔가 복잡한 문제가 있었나봐. 게다가 담당 환자도 사망했고. 어젯밤에 건물 옥상으로 올라가서 뛰어내렸대. 그 이상은 나도 몰라."

나는 상황을 이해하기 위해 어떤 질문이라도 하고 싶었

지만 아무것도 떠오르지 않았다. 그저 해일처럼 몰려든 엄청난 죄책감 때문에 제프가 그런 극단적인 선택을 했을 거라 추측할 뿐이었다.

제프가 스스로 목숨을 끊은 날 밤 내가 그와 함께 병원 문을 나왔더라면 얼마나 좋았을까. 함께 있었다면 우리는 늘 그랬던 것처럼 서로를 위로할 수 있었을 텐데. 삶에 대하여, 우리가 선택한 삶에 대하여 내가 알게 된 것들을 그 친구에게 들려주면 그 역시 내게 현명하고 영리한 충고를 해줬을 텐데. 죽음은 우리 모두에게 찾아온다. 우리 의사에게도 환자에게도. 살고, 숨 쉬고, 대사 작용을 하는 유기체로서 피할 수 없는 운명이다. 대부분의 사람들은 죽음을 향해 속수무책으로 살아간다. 죽음은 당신에게도, 주변 사람들에게도 일어나는 일이다. 하지만 제프와 나는 몇 년 동안 죽음에 능동적으로 관여하고, 마치 천사와 씨름한 야고보처럼 죽음과 씨름하는 훈련을 했다. 그렇게 함으로써 삶의 의미와 대면하려 했다. 우리는 사람의 생사가 걸린 일을 책임져야 하는 힘겨운 멍에를 졌다. 우리 환자의 삶과 정체성은 우리 손에 달렸을지 몰라도, 늘 승리하는 건 죽음이다. 설혹 당신이 완벽하더라도 세상은 그렇지 않다.

이에 대처하는 비법은 상황이 불리하여 패배가 확실하다

는 걸 알면서도, 우리의 판단이 잘못될 수도 있다는 걸 알면서도 환자를 위해 끝까지 싸우는 것이다. 우리는 결코 완벽에 도달할 수는 없지만, 거리가 한없이 0에 가까워지는 점근선(漸近線)처럼 우리가 완벽을 향해 끝없이 다가가고 있다는 것은 믿을 수 있다.

2

죽음이
올 때까지
멈추지
마라

내가 책의 저자라면,

나는 사람들의 다양한 죽음을 기록하고 또 논평할 것이다.

죽음을 가르치는 사람은 동시에 삶도 가르쳐야 할 것이다.

———

미셸 드 몽테뉴,《수상록》中
〈철학을 연구하는 건 죽음을 공부하는 것이다〉

루시와 나는 병원 침대에 누워 울었다. CT 촬영 결과는 여전히 컴퓨터 화면에 떠 있었고, 의사로서의 내 정체성은 더는 중요하지 않았다. 암은 여러 내장 기관들에 침투해 있었고 진단은 명확했다. 병실은 조용했다. 루시는 날 사랑한다고 말했다. 나는 "죽고 싶지 않아."라고 말했다. 그리고 아내에게 재혼하라고, 그녀가 혼자 남겨진다고 생각하면 견딜 수 없다고 말했다. 나는 담보대출을 이자가 더 낮은 곳으로 당장 바꿔야 한다는 말도 했다. 우리는 가족들에게 전화를 하기 시작했다. 그러는 사이 레지던트 동기인 빅토리아가 병실로 찾아왔고, 우리는 정밀검사 결과와 앞으로 진행될 치료에 관해서 의견을 나눴다. 그녀가 나의 레지던트 근무 복귀 계획을 언급했을 때 나는 그녀의 말을 막았다.

"빅토리아, 나는 이 병원에 의사로 절대 복귀하지 못할 거야. 너도 알잖아?"

내 인생의 한 장이 끝난 것처럼 보였다. 어쩌면 책 전체가 끝나가고 있는지도 몰랐다. 나는 사람들이 삶의 과도기를 잘 넘기도록 도와주는 목자의 자격을 반납하고, 길을 잃고 방황하는 양이 되었다. 내 병은 삶을 변화시킨 게 아니라 산산조각 내버렸다. 형형한 빛이 정말로 중요한 것을 비춰주는 에피퍼니의 순간이 찾아온 것이 아니라, 누군가가 내 앞 길에 폭탄을 떨어뜨린 것 같은 기분이었다. 이제 다른 길로 돌아가야 할 터였다.

얼마 뒤에 동생인 지반이 내 병상 옆에 나타났다. "형은 참 많은 걸 이뤘어. 형도 잘 알잖아."

나는 한숨을 쉬었다. 동생은 선의를 가지고 한 말이지만, 아무래도 내겐 공치사처럼 들렸다. 내 삶은 그동안 잠재력을 쌓아왔으나 그 잠재력은 결국 빛을 보지 못할 것이었다. 나는 정말 많은 걸 계획했고, 그 계획이 곧 성사될 참이었다. 내 몸은 쇠약해졌고, 내가 꿈꿨던 미래와 나 자신의 정체성은 붕괴되었으며, 내 환자들이 대면했던 실존적 문제를 나 역시 마주하게 되었다. 폐암 진단은 확정되었다. 내가 신중하게 계획하고 힘겹게 성취한 미래는 더는 존재하지 않았다. 일하는 동안 무척 익숙했던 죽음이 이제 내게 구체적인 현실로 다가왔다. 나는 죽음과 마침내 대면하게 되었지만, 아직 죽음의 정체를 명확하게 알 수 없었다. 지난 몇 년 동안 내가 치료했던 수많은 환자들이 남긴 발자국을 보고 따라갈 수 있어야 할 텐데, 기로에 선 내 앞에 보이는 거라곤 텅 비고, 냉혹하고, 공허하고, 하얗게 빛나는 사막뿐이었다. 마치 모래 폭풍이 그동안 친숙했던 모든 흔적을 쓸어간 것처럼.

해가 지고 있었다. 나는 다음 날 아침이면 퇴원할 예정이었다. 그 주의 후반에 종양학 전문의와 만나기로 되어 있었는데, 한 간호사가 와서 나를 담당할 종양학 전문의가 그날 밤 자기 아이들을 태우러 가기 전에 내 병실에 들를 거라고 전했다. 그 의사의 이름은 에마 헤이워드고, 공식적인 진료를 시작하기 전에 내게 인사차 들르고 싶어 한다는 것이었다. 나는 전에 그녀의 환자 몇 명을 치료한 적이 있어 그녀를 알고 있긴 했지만, 형식적인 인사를 제외하곤 그녀와 얘기를 나눠본 적이 없었다. 부모님과 형제들은 별말 없이 병실 여기저기에 서 있었고, 루시는 침대 옆에 앉아 내 손을 잡고 있었다. 그러다 문이 열렸고 에마가 들어왔다. 그녀가 입은 흰색 상의에는 긴 하루 동안 고생한 흔적이 묻어 있었지만 그녀의 미소만은 다정했다. 에마의 등 뒤에는 그녀의 동료와 레지던트 한 명이 서 있었다. 그녀는 나보다 겨우 몇 살 더 많았고, 머리는 길고 검었지만 죽음을 상대하는 사람들이 흔히 그렇듯 이미 흰머리가 듬성듬성 나 있었다. 그녀는 의자를 당겨 앉으며 말했다.

"안녕하세요, 에마라고 해요. 죄송하게도 오늘은 잠깐만 있다 가야 할 것 같네요. 하지만 들러서 제 소개를 하고 싶었어요."

나는 정맥 주사를 꽂은 팔을 들어 그녀와 악수했다.

"들러주셔서 감사합니다." 내가 말했다. "빨리 자녀분들을 데리러 가셔야 할 텐데요. 여긴 제 가족입니다." 그녀는 루시와 내 부모님과 형제들에게 고개를 끄덕여 인사했다.

"참 상심이 크겠어요. 여러분 모두 다요. 앞으로 며칠 동안 얘기를 나눌 시간이 많을 거예요. 이미 당신의 종양 표본을 연구실에 보내서 검사를 맡겨놨어요. 그 결과를 봐가면서 치료 방향을 결정할 거예요. 검사 결과에 따라 화학 요법이나 아니면 다른 치료를 받게 될 겁니다."

1년 반 전에 나는 맹장염으로 입원한 적이 있었다. 그때 나는 환자가 아닌 동료로, 거의 자문의사로 대접받았다. 나는 여기서도 똑같을 거라고 생각했다. "아직은 때가 아니라는 걸 알지만, 그래도 카플란 마이어 생존 곡선에 관해 얘기하고 싶은데요."

"아니요, 그건 안 돼요." 에마가 말했다.

잠시 침묵이 흘렀다. '어떻게 저런 말을 하지?' 나는 이렇게 생각했다. '의사들은, 나 같은 의사들은 원래 그런 방법으로 예후를 이해하잖아. 나는 알 권리가 있다고.'

"치료에 관해서는 나중에 이야기하죠. 원하신다면 복직에 관해서도요. 기존의 화학 요법 조합인 시스플라틴, 페메트렉시드, 아바스틴은 말초신경증이 발생할 확률이 높으니까 시스플라틴을 카보플라틴으로 바꿀 수도 있어요. 당신은 외과의사이니만큼 나중을 생각하면 신경 계통을 각별히 보호해야 할 필요가 있죠."

'복직이라니? 대체 무슨 말을 하는 거지? 그녀가 망상에라도 빠진 건가? 아니면 내가 예후를 완전히 착각했나? 어떻게 현실적인 생존 가능성을 재보지도 않고 복직 얘기를 할 수 있지?' 지난 며칠 동안 내 발밑의 땅이 흔들거리고, 꺼지는 듯한 느낌이었는데 지금 또 그런 기분이 들었다.

"자세한 이야기는 나중에 해요. 알아둬야 할 사항이 많으니까요. 오늘은 목요일에 있을 공식 진료 전에 한번 만나러 온 거예요. 생존 곡선 말고 제가 오늘 해줄 수 있는 일이나 대답해드려야 할 질문이 있나요?"

"아니요." 나는 복잡한 심경으로 답했다. "들러주셔서 정말 감사합니다."

"여기 제 명함이에요." 에마가 말했다. "진료실 전화번호가 적혀 있어요. 이틀 후에 뵙게 될 텐데, 그 전에라도 궁금한 점이 있으면 언제든지 전화하세요."

내 가족과 친구들은 재빨리 의학계 인맥을 동원하여 미국 최고의 폐암 종양학 전문의를 수소문했다. 휴스턴과 뉴욕에 유명한 암 치료센터들이 있었다. 그곳에서 치료받아야 할까? 이사를 가거나 잠시 주거를 이전하는 문제 등은 나중에 해결할 수 있는 문제였다. 답변은 빠르게 돌아왔고, 거의 만장일치에 가까웠다. 에마는 전국 규모의 명망 높은 암 자문위원회 소속 폐암 전문가로, 세계적인 수준의 종양학 전문의였다. 그녀는 최고의 실력을 갖췄을 뿐만 아니라, 환자를 잘 배려하는 것은 물론이고 병의 경과에 따라 치료를 언제 진행하고 보류해야 하는지 잘 파악하기로도 유명했다.

나는 잠시 여태까지 내게 일어난 일련의 일들을 생각해보았다. 컴퓨터 프로그램이 정해준 과정에 따라 레지던트 생활을 시작하고, 끝내 이런 기이한 진단을 받아 가장 뛰어난 의사에게 치료를 받게 되다니, 미리 정해진 운명 같은 것일까?

한 주의 대부분을 병상에 누워 암 치료를 받으면서 나는 눈에 띄게 허약해졌다. 내 몸과 거기에 속한 내 정체성은 급격하게 바뀌었다. 이제는 침대에서 일어나 화장실을 다녀오는 일도 자동화된 피질하 운동 시스템을 통해 무의식적으로 하지 못하고 노력과 계획이 필요했다. 물리치료사는 환자로 지내게 될 나에게 집에서 필요한 물건들의 목록을 건네주었다. 지팡이, 개량된 좌변기, 쉴 때 다리를 받칠 폼블록 등이었다. 한 무더기의 새로운 진통제가 처방되었다. 병원에서 절뚝거리면서 나올 때, 불과 엿새 전만 해도 수술실에서 거의 36시간 가까이 서서 버틸 수 있었던 것이 의아스럽기만 했다. 한 주 만에 이렇게 병약해진 건가? 어느 정도는 그랬다. 하지만 그 36시간을 버티기 위해 요령을 부리기도 하고 동료 외과의들의 도움을 받기도 했다. 그런데도 극심한 통증을 느꼈었다. CT 촬영과 검사 결과를 보면, 나는 암에 걸렸을 뿐만 아니라 몸도 거의 죽겠다 싶을 정도로 지쳐 있었다 이렇게 내 건강 상태에 대한 두려움이 공식적으로 확인되었으니 이제 나는 환자, 신경외과학, 선의 추구라는 책무에서 벗어나게 된 걸까? 나는 그렇다고 생각했지만 거기에는 역설이 있었다. 환자들을 돌봐야 한다면서 나를 몰아붙이던 그 의무가 사라지자 나 자신이 어느새 병약자가 되어 있었던 것이다. 마치 있는 힘을 다해 결승선을 통과한 후 쓰러지는 달리기 선수처럼.

특이한 상태에 빠진 환자를 만나면 보통 나는 관련 전문의와 의논하거나 관련 자료를 읽었다. 이번에도 다를 건 없어 보였다. 그러나 다양한 약품들, 특정 돌연변이를 표적으로 삼은 현대의 많은 기발한 치료법들과 화학 요법에 관한 자료들을 검토할 때마다 떠오르는 의문이 너무 많아서 내 병에 대해 유용하면서도 일관된 연구를 할 수가 없었다. (시인 알렉산더 포프는 이렇게 말했다. "어설프게 배우는 건 위험한 일이다. 뮤즈의 샘을 흠뻑 마시든가, 아니면 아예 입도 대지 말라.") 직접 병을 앓아본 경험이 별로 없는 나로서는 이 새로운 정보의 세계에 발을 들여놓기가 힘들었고, 카플란 마이어 곡선에서 내 위치를 찾을 수도 없었다. 나는 공식 진료를 고대했다.

그러나 대부분의 시간은 쉬면서 보냈다.

나는 앉아서 의과 대학원 시절 루시와 함께 찍은 사진을 물끄러미 바라보았다. 우리는 춤을 추며 웃고 있었다. 그 사진을 보고 있자니 너무 슬펐다. 이 두 사람은 자신들이 얼마나 무너지기 쉬운 존재인지도 모르고 함께할 인생을 계획했다. 내 친구인 로리는 교통사고로 숨을 거뒀을 때 약혼자가 있었다. 이 편이 더 잔인할까?

내가 의사가 아닌 환자의 삶을 살게 되면서 내 가족은 갑자기 부산해졌다. 우리는 온라인으로 약을 살 수 있는 계정을 만들고, 침대 난간을 주문하고, 타는 듯한 요통을 덜어줄 인체 공학 매트리스를 샀다. 며칠 전만 해도 내년엔 수입이 여섯 배 늘겠구나 예상하면서 세웠던 우리의 재정 계획이 이젠 위태로워 보였고, 거기에 더해 내가 죽은 뒤에도 루시를 지켜주려면 이런저런 새로운 재정적 장치가 필요할 것 같았다. 아버지는 이렇게 계획을 수정하는 건 병에 지는 거라고, 내가 어떻게든 병을 이겨내고 나을 거라고 말했다. 환자의 가족에게서 이 말을 얼마나 많이 들었던가. 하지만 나는 그들에게 해줄 말이 딱히 떠오르지 않았고, 지금도 마찬가지로 아버지에게 뭐라고 말해야 할지 알 수가 없었다.

달리 어쩌란 말인가?

이틀 뒤, 루시와 나는 진료실에서 에마를 만났다. 부모님은 대기실에 남았다. 간호사가 내 활력 징후(vital sign)를 검사했다. 에마와 그녀의 임상 간호사는 인상적일 정도로 시간을 정확하게 지켰다. 에마는 내 앞으로 의자를 당겨 앉아 나를 마주보고 나와 눈을 맞추며 말했다.

"또 만났네요. 여긴 알렉시스예요, 제 오른팔이죠." 그녀는 컴퓨터 앞에 앉아 뭔가를 적는 임상 간호사를 가리키며 말했다. "의논할 게 많지만, 먼저 물어볼게요. 어떻게 지내셨어요?"

"잘 지냈습니다, 대체로요. '방학'을 잘 즐기고 있는 것 같습니다. 선생님은 어떻게 지내셨나요?"

"네? 저야 잘 지냈죠." 에마는 잠시 말을 멈췄다. 환자는 보통 의사에게 안부를 묻지 않지만 에마는 내게 동료였다. "이번 주엔 입원 환자를 보고 있어요. 무슨 말인지 잘 아시죠?" 그녀가 미소를 지으며 말했다. 루시와 나는 당연히 알았다. 외래 환자를 맡는 전문의는 주기적으로 입원 환자를 진료하는데, 이 때문에 이미 꽉 찬 일정에 몇 시간의 근무가 추가된다는 얘기였다.

인사말을 몇 마디 더 나눈 뒤, 우리는 폐암 연구의 현 상황에 관해 편안하게 이야기를 시작했다. 에마는 두 가지 방법이 있다고 했다. 전통적인 방식으로는 화학 요법이 있다. 빠르게 분열하는 세포들을 포괄적으로 공격할 수 있다는 장점이 있다. 반면 주로 암세포를 노리지만, 골수, 모낭, 창자 등의 세포 역시 공격받는다는 단점도 있다. 에마는 마치 다른 의사에게 강의하듯 관련 정보와 선택 사항들을 알려줬지만, 이번에도 카플란 마이어 생존 곡선에 대해서는 단 한 마디도 언급하지 않았다. 에마는 또 새로 개발된 치료 방법을 소개하면서 주로 암 자체의 특정한 분자 결함을 공격 목표로 삼는다고 설명했다. 나는 오래전부터 암 연구의 성배와도 같았던 그 노력에 대해 들어본 적은 있었지만, 이만큼 진전이 있었다는 걸 알고는 깜짝 놀랐다. 이 새로운 치료법으로 "일부" 환자들은 암 진단 후 오랜 시간 생존했다.

"당신에 대한 검사 결과가 대부분 나왔어요." 에마가 말했다. "당신에겐 PI3K(Phosphoinositide 3-kinase) 변이가 있어요. 하지만 이게 무슨 의미인지는 아직 몰라요. 당신 같은 환자에게서 가장 흔하게 나타나는 EGFR(Epidermal growth factor receptor) 변이 유무도 곧 검사할 거예요. 저는 변이 가능성이 높다고 보고 있어요. 만약 그렇다면 화학 요법을 받는 대신 타세바 알약을 먹어도 돼요. 결과는 내일 금요일에 나오겠지만, 지금도 많이 힘든 상태니까 EGFR 변이가 아닐 경우를 대비해서 월요일부터 화학 요법을 시작할 수 있도록 준비는 해뒀어요."

이 말을 듣자마자 나는 동료의식을 느꼈다. 나 역시 그녀와 똑같은 방식으로 신경외과 업무를 처리했다. 항상 첫 번째 안부터 세 번째 안까지 준비해두는 것이다.

"화학 요법을 시작하게 되면 카보플라틴(carboplatin)과 시스플라틴(cisplatin) 중 어떤 것을 사용할지가 제일 큰 문제예요. 그 두 가지를 직접적으로 비교한 독자적인 연구들을 보면 카보플라틴이 더 참을 만하다고 해요. 시스플라틴은 잠재적인 효력은 더 낮지만 독성이 훨씬 심해요. 특히 신경에 안 좋은 영향을 미치죠. 하지만 이 데이터가 오래되었다는 점, 그리고 최근의 화학 요법과 직접적으로 비교한 자료는 없다는 점도 참고하시고요. 자, 설명은 여기까지예요. 어떻게 생각하세요?"

"외과 수술을 하기 위해 내 손을 보호해야 한다는 생각은 이제 별로 없어요. 그거 말고도 내가 할 수 있는 일이 많을 겁니다. 손을 못 쓰게 되면 다른 직장을 찾으면 되고, 굳이 일이 아니더라도 뭔가 할 수 있는 게 있을 거예요."

에마는 잠깐 생각하다가 입을 뗐다. "물어볼 게 있어요. 당신에게 수술이 중요한가요? 외과의로서 수술을 집도하는 게 하고 싶은 일인가요?"

"그럼요. 그걸 하려고 인생의 3분의 1을 투자했는걸요."

"알겠어요. 그럼 카보플라틴을 써보도록 하죠. 그게 생존율에 영향을 미치진 않겠지만 삶의 질을 크게 바꿔줄 거예요. 다른 질문 있나요?"

에마는 치료 방향을 확신하는 듯했고, 나는 기쁜 마음으로 그녀의 말을 따랐다. 어쩌면 내가 다시 외과 수술을 할 수 있을지도 모른다는 희망이 생기기 시작했다. 조금은 긴장이 풀리는 기분이었다.

"다시 담배를 피워도 될까요?" 나는 익살스럽게 물었다.

루시는 웃었고 에마는 눈을 부릅떴다.

"안 돼요. 진지하게 물어볼 건 없나요?"

"카플란 마이어……"

"그 얘기는 하지 않을 겁니다."

나는 그녀가 왜 이렇게 거부하는지 이해할 수 없었다. 어쨌든 나는 그런 통계에 익숙한 의사였다. 정 말해 주지 않겠다면 내가 직접 찾아보면 된다…… 이미 난 그리기로 마음먹었다.

"잘 알겠습니다." 내가 말했다. "이제 다 확실해진 것 같네요. 일단 내일 EGFR 검사 결과를 보고 변이가 맞으면 타세바 정을 복용하면 되겠군요. 아니면 월요일부터 화학 요법을 받고."

"맞아요. 또 한 가지 알려드리고 싶은 건, 이제부터 제가 당신의 의사라는 점입니다. 1차 진료부터 시작해서 뭐든 문제가 있으면 가장 먼저 저를 찾아오세요."

다시 한 번 나는 그녀에게 동료의식을 느꼈다.

"감사합니다. 입원 환자 병동에서도 잘 지내시길 바랍니다."

에마는 진료실에서 나갔다가 잠시 후 다시 고개를 불쑥 들이밀며 말했다. "아, 당신을 만나고 싶다는 폐암 기금 모금 담당자들이 있어요. 내키지 않으면 얼마든지 거부해도 돼요. 지금 바로 대답하지는 마시고 한번 생각해보세요. 그리고 관심이 있으면 알렉시스에게 알려주면 됩니다. 내키지 않는 일은 절대 하지 마세요."

진료실을 나가면서 루시가 내게 말했다. "훌륭한 선생님이네. 당신한테 잘 맞는 것 같아. 그런데……" 루시는 미소를 지으며 말했다. "저 선생님이 당신에게 호감이 있는 것 같아."

"그래서?"

"의사가 개인적으로 마음을 쓰는 환자들의 예후는 잘 못

160

본다는 연구 결과가 있어서 말이야."

나는 웃으면서 대답했다. "안 그래도 걱정거리가 쌓여 있어. 그건 한참 나중에 걱정해도 될 것 같이."

나는 나 자신의 죽음과 아주 가까이 대면하면서 아무것도 바뀌지 않은 동시에 모든 것이 바뀌었다는 사실을 깨닫기 시작했다. 암 진단을 받기 전에 나는 내가 언젠가 죽으리라는 걸 알았지만, 구체적으로 언제가 될지는 알지 못했다. 암 진단을 받은 후에도 내가 언젠가 죽으리라는 걸 알았지만 언제가 될지는 몰랐다. 하지만 지금은 그것을 통렬하게 자각한다. 그 문제는 사실 과학의 영역이 아니다. 죽음은 사람을 불안하게 만든다. 그러나 죽음 없는 삶이라는 건 없다.

의학적으로 불투명했던 부분이 서서히 뚜렷해지고 있었다. 최소한 이제는 관련 문헌을 파고들 수 있을 정도의 정보는 갖고 있었다. 수치들은 불분명했지만, EGFR 변이가 있으면 평균적으로 약 1년의 삶을 더 얻을 수 있고, 장기 생존할 가능성도 있었다. 만약 변이가 없으면 2년 안에 죽을 확률이 80퍼센트였다. 이 경우에는 남은 삶을 재정립하는 것이 목표가 되어야 한다.

다음 날, 루시와 나는 정자은행에 들렀다. 생식 세포를 보존하여 건강한 아기를 낳을 수 있도록 하기 위해서였다. 우리는 원래 내 레지던트 생활이 끝나면 아기를 가질 계획이었다. 하지만 이제는……. 암 치료제들이 내 정자에 어떤 영향을 미칠지 알 수 없기 때문에, 혹시나 아기를 가질 거라면 치료 전에 정자를 냉동해두어야 했다. 한 젊은 여자가 정자 보관을 위한 다양한 결제 방식과 선택 사항들, 그리고 소유권을 설정하는 법정 양식에 관해 설명해주었다. 그녀의 책상에는 젊은 암 환자들을 위한 즉흥 연극 모임, 아카펠라 모임, 장기자랑 모임 등 다양한 사교 모임을 소개하는 형형색색의 책자들이 놓여 있었다. 나는 책자에 실린 행복한 얼굴들이 부러웠다. 통계적으로 보면 그들은 아마 치료 가능성이 높은 암에 걸렸을 것이고, 기대 수명도 괜찮을 것이었다. 서른여섯 살에 폐암에 걸릴 확률은 0.0012퍼센트밖에 되지 않았다. 모든 암 환자가 불행하다는 건 맞는 말이지만 암도 암 나름이어서 더욱 힘든 암이 있다. 그런 암에 걸린 사람이야말로 정말로 불운한 사람이다. 정자은행 직원이 우리에게 두 사람 중 한 명이 '사망하면' 정자의 법적 소유권자를 누구로 하겠느냐고 묻자 루시가 눈물을 흘리기 시작했다.

희망(hope)이라는 단어가 처음으로 영어에 등장한 건 약

1,000년 전으로, 확신과 소망을 결합한 의미를 지니고 있었다. 하지만 내가 소망하는 것(삶)과 확신하는 것(죽음)은 날랐다. 그렇다면 내가 말하는 희망의 신짜 의미는 '헛뒤 소망을 위한 여지를 남겨두는 것'이었을까? 그건 아니었다. 의학 통계는 평균 생존 기간 같은 수치를 나타낼 뿐 아니라, 신뢰 수준, 신뢰 구간, 신뢰 한계 같은 도구들을 이용해 수치에 대한 우리의 신뢰도도 측정한다. 그렇다면 '통계적으로는 불가능하지만 여전히 가능성 있는 결과, 즉 95퍼센트로 측정된 신뢰 구간을 극복하고 생존할 가능성을 남겨두는 것', 이것이 내게는 희망이란 것일까? 우리는 과연 생존 곡선을 '패배', '비관적', '현실적', '희망적', '망상' 등의 영역으로 나눌 수 있을까? 숫자는 그저 숫자가 아니던가? 우리는 모든 환자의 생존 확률이 평균 이상이라는 '희망'을 기꺼이 받아들이지 않았던가?

통계 자료와 나의 관계는 내가 환자가 되자마자 달라져 버렸다.

레지던트 생활을 하는 동안, 나는 부수한 환자들과 그 가족들에게 나쁜 예후를 알려주었다. 의사로서 해야 하는 가장 중요한 일들 중 하나였다. 환자가 아흔네 살에 치매 말기이고 심각한 뇌출혈로 쓰러졌다면 이야기는 쉽게 풀린다.

하지만 나처럼 서른여섯 살에 말기 암 진단을 받은 환자에 게는 말을 꺼내기가 참 힘들다.

　의사가 환자에게 구체적인 예후를 말하지 않는 이유는 그럴 수 없어서만은 아니다. 환자가 도저히 불가능한 기대를 갖고 있다면, 가령 130세까지 살고 싶어하거나, 심하지 않은 피부 반점 때문에 곧 죽을 거라 생각한다면, 의사는 그런 환자의 기대를 합리적인 수준으로 낮추거나 높여야 한다. 그러나 일반적으로 환자가 원하는 건 의사가 숨기는 과학 지식이 아니라, 각자 스스로 찾아야 하는 실존적 진정성이다. 통계를 지나치게 파고드는 건 소금물로 갈증을 해결하려는 것과 같다. 죽음을 정면으로 마주하고 고뇌에 빠지는 일은 생존 가능성에 아무런 도움이 되지 않는다.

　정자은행을 떠나 집으로 왔을 때 병원에서 전화가 왔다. 치료 가능한 변이(EGFR)라는 결과가 나왔다는 소식이었다. 다행스럽게도 화학 요법을 받는 대신 작은 흰색 알약인 타세바를 복용하게 되었다. 나는 이내 힘이 솟기 시작했다. 그게 뭔지 정확히는 몰라도 한 조각의 희망을 느낄 수 있었다. 내 삶을 둘러싸고 있던 안개가 살짝 걷히고 푸른 하늘 한 점이 보였다. 그 뒤로 몇 주 동안 식욕이 돌아왔다. 다시 체중이 늘었다. 그러면서 여드름이 심하게 났는데, 이는 약효가 있을 때 나타나는 부작용이었다. 루시가 늘 좋아했던 내 매끈한 피부가 우툴두툴해졌고, 혈액 희석제 때문에 피부에서 계속 피가 났다. 내 신체에서 그나마 자랑할 만한 매력이 서서히 사라져가고 있었다. 하지만 정직하게 말하자면, 외모가 다소 추해지더라도 살아있다는 사실이 기뻤다. 루시는 여드름이 나고 지저분해진 내 피부도 예전과 똑같이 사랑한다고 말했다. 우리의 정체성은 뇌로만 결정되는 것이 아니다. 누구나 그 정체성을 구체적으로 보여주는 신체 안에서 살 수밖에 없다. 산행, 캠핑, 달리기를 좋아하고, 양팔을 쫙 벌려 꼭 껴안는 것으로 애정을 표현하던, 그리고 키득거리는 조카를 번쩍 들어주던 남자, 나는 더는 그 남자가 될 수 없었다. 기껏해야 그런 남자를 목표로 삼는 것이 최선이었다.

에마는 격주로 나를 진료했는데, 첫 진료에서 우리의 이야기는 의학적인 문제("발진은 어때요?")에서 실존적인 문제로 넘어갔다. 암에 대한 전통적인 대처 방식도 화제에 올랐다. 칩거해서 가족들과 조용히 평온한 시간을 보내는 것.

"많은 사람들이 암 진단을 받으면 일을 아예 그만둬요. 아니면 정반대로 일에 몰두하거나요. 어느 쪽이든 괜찮아요." 에마가 말했다.

"저는 40년의 인생 계획을 짰었어요. 첫 20년은 외과의사이자 과학자로, 마지막 20년은 작가로 살 생각이었죠. 그런데 갑자기 마지막 20년에 들어서게 됐으니, 어떤 계획을 세워야 할지 난감하네요."

"음, 제가 그 답을 드릴 순 없겠죠." 그녀가 말했다. "원한다면 수술실로 다시 복귀할 수 있을 거라는 말씀밖에 못 드리겠네요. 하지만 당신에게 가장 중요한 게 뭔지 꼭 생각해 보세요."

"시간이 얼마나 남았는지 알면 쉬울 텐데요. 2년이 남았다면 글을 쓸 겁니다. 10년이 남았다면 수술을 하고 과학을 탐구하겠어요."

"시간이 얼마나 남았는지 확실히 말할 수 없다는 건 당신도 잘 알 거예요."

물론 나도 알고 있었다. 에마가 자주 하는 말을 인용하자면, 내 가치를 찾는 건 내게 달린 문제였다. 하지만 내 마음 한 구석에선 그 말이 공허한 핑계처럼 느껴졌다. 물론 나도 환자에게 구체적인 시간을 제시하지 않았지만, 환자가 어떻게 해야 할지는 늘 생각하고 있었다. 그렇지 않으면 생사가 걸린 결정을 어떻게 내릴 수 있겠는가? 그때 문득 내가 저질렀던 실수들이 떠올랐다. 예전에 나는 한 가족에게 아들의 생명 유지 장치를 떼는 것이 좋겠다고 조언한 적이 있었다.

하지만 2년 후 아이의 부모가 나를 찾아와 아들이 피아노를 연수하는 모습이 담긴 동영상을 보여주면서, 아들의 목숨을 구해줘서 고맙다는 말과 함께 컵케이크를 주었다.

내 일정에서 종양 지료가 가장 중요하긴 했지만, 그에 못 지않게 중요한 약속이 하나 있었다. 루시의 강권에 못 이겨 암 환자를 전문으로 하는 부부 관계 상담사를 만나는 일이 었다. 창문 없는 상담실의 안락의자에 앉아 우리 부부의 삶을 상세하게 이야기했다. 암 진단과 함께 부서져버린 현재와 미래, 미래를 아는 고통과 알지 못하는 고통, 장기적인 계획을 세우지 못하는 어려움, 서로를 필요로 하는 절실한 마음을 털어놓았다. 사실 어떻게 보면 암은 우리의 결혼 생활을 구원해준 것이나 다름없다.

"음, 두 분은 제가 본 어떤 부부보다도 잘 대처하고 계세요." 첫 만남을 마무리하면서 상담사가 말했다. "제가 두 분에게 드릴 조언은 딱히 없는 것 같은데요."

나는 상담실을 나오면서 씩 웃었다. 내가 잘하고 있는 일이 아직 한 가지는 있다는 사실이 확인됐으니까. 수년간 말기 암 환자들을 보살폈던 보람이 조금은 있구나! 나는 루시를 돌아봤다. 미소 짓는 얼굴을 기대했지만 그녀는 고개를 짓고 있었다.

"당신 아직도 모르겠어?" 루시가 내 손을 잡으며 말했다. "지금 우리 상태가 최고라는 건, 더 나아질 게 없다는 뜻이잖아."

죽음의 무게가 더 가벼워지지 않는다면 적어도 더 익숙해지기라도 할까?

불치병을 진단받고 나서 나는 두 가지 관점으로 세상을 바라보기 시작했다. 죽음을 의사와 환자 모두의 입장에서 보기 시작한 것이다. 의사로서 나는 "암이라는 전쟁에서 꼭 이길 거야!"라고 선언하거나 "왜 하필 나야?(이 질문에 대한 답은 "나라고 암에 걸리지 말란 법이 있는가?"이다)"라고 물어서는 안 된다는 걸 알고 있었다. 또한 나는 의료 행위, 그와 관련된 복잡한 일, 치료 공식에 대해 많은 걸 알고 있었다. 종양학 전문의와 상담하고 개인적으로도 연구하면서 알게 된 점은 1980년대 후반의 에이즈처럼 오늘날의 말기 폐암도 상황이 변할 수 있다는 사실이었다. 여전히 빠르게 진행되는 심각한 병이지만, 수명을 몇 년 더 늘려주는 치료법들이 등장하고 있다.

병원에서 쌓은 경험 덕분에 나는 의사 겸 과학자로서 관련 자료를 분석하고, 그런 자료가 내 예후에 대해 전부 다 알려줄 수 없음을 받아들일 수 있었다. 하지만 환자인 내게 그런 건 아무 도움도 되지 않았다. 그런 자료는 루시와 내가 아기를 가져야 할지, 혹은 내 생명이 꺼져가는 동안 새로운 생명을 양육하는 것이 어떤 의미인지는 말해주지 않았다. 또한 내 경력을 위해 계속 분투해야 할시, 오랜 시간 외곬으로 추구해왔지만 이룰 시간이 있을지 알 수 없는 야망들을 다시 품어도 될지 아무 해답도 들려주지 않았다.

예전에 내가 맡았던 환자들처럼 나는 죽음과 마주한 채 내 삶을 가치 있게 만드는 것이 무엇인지 이해해야 했다. 그리고 그렇게 하려면 에마의 도움이 필요했다. 나는 의사와 환자 사이에서 입장이 갈린 채, 의학을 계속 파고들지 아니면 문학에서 답을 찾아야 할지 고민스러웠다. 죽음과 마주하며 나는 예전의 삶을 복원하기 위해서, 아니면 새로운 삶을 찾기 위해서 부단히 버둥거렸다.

나는 한 주의 대부분을 인지 치료(cognitive therapy)가 아니라 물리 치료(physical therapy)를 받으며 보냈다. 예전에 나는 거의 모든 환자들에게 물리 치료를 받게 했었다. 그런데 막상 내가 그 치료를 받아보니 충격적일 정도로 힘들었다. 의사는 병에 걸리는 느낌이 어떤지 추상적으로는 알고 있지만, 직접 경험하기 전까지는 진짜 아는 것이 아니다. 그건 사랑에 빠지거나 아이를 가지는 것과 비슷하다. 거기에 따라오는 수많은 서류 작업이나 사소한 일들이 별로 반갑지 않다. 예를 들어, 정맥 주사를 꽂고 있으면 주사액이 스며들기 시작할 때 실제로 소금 맛이 느껴진다. 의사는 모든 환자에게 벌어지는 일이라고 말하지만, 11년 동안 병원에 몸담으면서도 나는 고통의 구체적인 느낌을 전혀 알지 못했다.

물리 치료에서 나는 역기가 아니라 겨우 두 다리를 들어 올리고 있었다. 진이 빠지고 굴욕적이었다. 뇌는 멀쩡했지만, 왠지 다른 사람이 된 것 같은 기분이었다. 내 몸은 허약했고 하프 마라톤을 달리던 시절은 이미 오래전 추억이 되어버렸다. 이런 몸 역시 사람의 정체성을 형성한다. 고통스러운 요통이 정체성에 큰 영향을 미칠 수도 있고, 피로와 메스꺼움 또한 마찬가지이다. 내 개인 트레이너인 카렌이 내게 목표가 뭐냐고 물었다. 나는 두 가지라고 대답했다. 자전거 타기와 달리기. 몸이 허약해지고 나니 결심은 더욱 굳건해졌다. 매일 운동을 하면서 조금씩 체력이 좋아지기 시작했고 내가 할 수 있는 일의 범위도 넓어졌다. 나 자신의 가능성이 점점 더 커지는 것 같았다. 역기를 들고 운동 횟수와 시간을 늘리면서 나는 토할 지경이 될 때까지 내 몸을 몰아붙였다. 두 날 뒤에는 30분을 앉아 있어도 피곤하지 않았다. 그 덕분에 다시 친구들과 함께 저녁 식사를 즐길 수 있었다.

어느 날 오후, 루시와 나는 예전에 자주 자전거를 타던 캐나다 로드로 갔다. (자존심 때문에 덧붙여 말하자면, 우리는 보통 거기서 자전거를 탔지만 가벼운 내 몸무게 탓인지 당시에도 그 언덕들을 오르는 건 힘들었다.) 불안정하긴 했지만 나는 10킬로미터 정도 달렸다. 작년 여름에 50킬로미터도 거뜬했던 걸 생각하면 격세지감이 들었지만, 적어도 두 바퀴 위에서 균형을 잡을 수는 있게 되었다.

이것은 승리일까, 패배일까?

나는 에마와 만나는 날들을 고대하기 시작했다. 그녀의 진료실에 있으면 본래의 나로 돌아간 것 같은 느낌이 들었다. 진료실 밖으로 나오면 내가 누군지 알 수가 없었다. 일에서 손을 놓았기 때문에 신경외과 의사이자 과학자이며 전도유망한 청년이라는 정체성을 느낄 수가 없었다. 쇠약해진 몸으로 집에만 있으니 루시에게 남편 노릇을 제대로 못하고 있는 건 아닌가 두려웠다. 나는 내 삶의 모든 문장에서 주어가 아닌 직접 목적어가 된 기분이었다. 14세기 철학에서 환자(patient)라는 단어는 그저 '행동의 대상'을 의미했고, 나는 딱 그런 존재가 된 기분이 들었다. 의사였을 땐 행위의 주체이자 원인이었으나, 환자인 나는 그저 어떤 일을 당하는 대상일 뿐이었다. 하지만 에마의 진료실에 가면 루시와 나는 농담을 하고, 의사들끼리 쓰는 말을 주고받았으며, 꿈과 희망을 자유롭게 이야기하면서 앞으로의 계획을 세울 수 있었다. 두 달이 지난 후에도 에마는 예후에 대해 모호한 입장을 취했고, 내가 통계를 인용할 때마다 내 가치관에 집중하라며 퇴짜를 놓았다. 나는 이런 면이 불만스러웠지만, 적어도 그녀의 진료실에서는 스스로를 열역학 제2법칙(모든 질서는 엔트로피, 쇠퇴로 향하는 경향이 있다)의 전형적인 사례가 아니라, 어엿한 인간이라고 느꼈다.

죽음에 직면하고 보니 더 미뤄선 안 되고 급하게 결정해야 할 문제들이 많았다. 그 중에서도 가장 중요한 일은 아이를 가져도 되는가 하는 것이었다. 레지던트 생활이 끝나갈 즈음 우리 부부의 결혼 생활은 잠시 위기에 빠졌지만, 서로에 대한 사랑은 늘 변함없었다. 루시와 나는 여전히 의미 있는 관계를 맺고 있었고, 무엇이 중요한지 서로 공감하며 이해했다. 삶의 의미를 뒷받침해주는 것이 인간관계라면, 아이를 키우는 일은 그 의미에 또 다른 차원을 더하는 것 같았다. 우리는 예전부터 아기를 원했고, 우리 가족 식탁에 의자를 하나 더 놓고 싶은 생각이 본능처럼 아직 남아 있었다.

부모가 되고 싶은 마음이야 둘 다 간절했지만, 상대방을 생각하지 않을 수 없었다. 루시는 내게 몇 년의 시간이 더 남아 있기를 바랐지만 내 예후를 잘 알고 있었기에, 남은 시간을 아버지로 보낼 것인지에 대한 결정은 최종적으로 내가 내려야 한다고 생각했다.

어느 날 밤, 옆에 누워 있던 루시가 물었다. "여보, 가장 무섭거나 슬픈 일이 뭐야?"

"당신하고 헤어지는 거."

나는 아기가 생기면 우리 가족에게 큰 기쁨이 되리라는 걸 알았다. 게다가 내가 죽은 뒤 루시에게 남편도 아기도 없을 거라고 생각하면 견딜 수가 없었다. 하지만 나는 최종적인 결정은 루시가 내려야 한다고 고집을 부렸다. 결국 그녀 혼자 아기를 키워야 할 텐데, 내 병이 악화되면 나까지 돌보느라 더 힘들 것이었다.

"아기가 생기면 우리가 제대로 시간을 함께 보낼 수 있을까?" 루시가 물었다. "아기와 헤어져야 한다면 죽음이 더 고통스럽지 않을까?"

"그렇다 해도 아기는 멋진 선물 아니겠어?" 내가 말했다. 루시와 나는 고통을 피하는 섯만이 싫음 이니라고 느꼈다 몇 년 전, 나는 다윈과 니체가 한 가지 사실에 동의했다는 생각이 들었다. 생물을 규정짓는 특징은 생존을 향한 분투라는 것이다. 삶을 이와 다르게 설명하는 건 줄무늬 없는 호랑이를 그리는 거나 마찬가지다. 수년을 죽음과 함께 보낸 후 나는 편안한 죽음이 반드시 최고의 죽음은 아니라는 사실을 깨달았다. 우리는 아기를 갖기로 한 결정을 양가에 알리고, 가족의 축복을 받았다. 우리는 죽어가는 대신 계속 살아가기로 다짐했다.

내가 암 치료를 받고 있었기에 보조생식이 유일한 방법이었다. 우리는 팰로앨토에 있는 한 생식내분비과의 전문의를 찾아갔다. 그녀는 전문가답게 능숙했지만, 불임 환자가 아닌 불치병 환자를 상대해본 경험은 없는 듯했다. 클립보드를 보며 그녀는 술술 말을 이어갔다.

"아이를 가지려고 하신 지는 얼마나 됐나요?"

"아직 시도는 못 했습니다."

"아, 네. 그러셨군요."

마침내 그녀가 물었다. "음, 상황을 고려해서 빨리 임신하고 싶으신 거죠?"

"맞아요." 루시가 말했다. "당장에라도 시작했으면 좋겠어요."

"그렇다면 체외수정을 하셔야겠네요."

내가 만들어지고 파괴되는 배아의 수를 최소화하고 싶다고 말하자 그녀는 약간 당황스러워했다. 여기를 찾아오는 사람들은 대부분 편의성을 가장 우선시했다. 하지만 나는 내가 죽은 뒤에 루시가 여러 배아들을 책임져야 하는 상황은 피하고 싶었다. 우리가 공유하는 유전체들의 마지막 흔적이자 내가 이 세상에 마지막으로 남기는 존재인 그 배아들은 어딘가의 냉동고에 처박힐 텐데, 그것을 없애자니 너무 고통스러울 테고 그렇다고 그것들이 완전한 인간이 되는 것도 불가능할 것이다. 배아들은 결국 이도 저도 아닌 기술적 인공물에 지나지 않았다. 하지만 자궁 내 수정을 여러 번 시도한 끝에, 우리는 더 높은 수준의 기술이 필요하다는 결론을 내리게 되었다. 시험관에서 적어도 몇 개의 배아를 만든 뒤 그 중에서 가장 건강한 배아를 착상시켜야 했다. 나머지 배아는 죽게 된다. 새로운 삶을 위해 아이를 가지는 일에서조차 죽음은 자기 역할에 충실했다.

치료를 시작하고 나서 6주 후, 나는 타세바의 효과를 알아보기 위해 CT 촬영을 했다. 내가 기계에서 내려오자 CT

기사가 말했다. "저, 선생님. 원래는 이런 말씀드리면 안 되는데, 저기 컴퓨터가 있어요. 결과를 확인하고 싶으면 가서 보세요." 나는 화면에 사진들을 올리며 내 이름을 입력했다.

여드름은 좋은 징후였다. 체력 역시 좋아졌지만, 요통과 피로감은 여전했다. 컴퓨터 앞에 앉아서 나는 에마가 했던 말을 떠올렸다. 설사 종양이 자랐더라도 조금만 커졌다면 성공이라고 봐도 무방하다는 것이었다. (아버지는 물론 암세포가 전부 없어졌을 거라고 예측했다. 집에서만 쓰는 별명으로 나를 부르며 이렇게 말했다. "퍼비, 네 촬영 결과는 아주 깨끗할 거다!") 나는 종양이 조금만 자랐더라도 희소식이라고 속으로 되뇌면서, 숨을 한 번 내쉬고 클릭했다. 화면에 이미지가 나타났다. 전엔 무수한 종양이 얼룩덜룩하게 퍼져 있던 내 폐는 위엽(upper lobe)에 있는 1센티미터 혹을 제외하고는 깨끗했다. 내 척추는 확실히 낫기 시작했다. 종양 부담(tumor burden)이 명백하게 극적으로 줄었다.

안도감이 몰려왔다.

암은 이제 안정세였다.

다음날 에마를 만났을 때 그녀는 여전히 예후를 말하지 않았지만, 대신 이런 말을 해주었다. "이젠 6주에 한 번씩 봐도 될 만큼 좋아졌어요. 다음엔 예상 생존 기간에 대해서도 얘기해보도록 하죠." 지난 몇 달간의 혼돈이 서서히 걷히고, 새로운 질서가 정립되는 기분이었다. 나는 다시 미래를 생각할 수 있게 되었다.

그 주말에 스탠퍼드 신경외과 동문 모임이 있었고, 나는 거기에 참석하면 예전의 나로 어느 정도 돌아갈 수 있을 기라는 기대감에 부풀었다. 하지만 막상 그 자리에 있어 보니 지금의 내 삶이 예전과 얼마나 다른지 더욱더 실감날 뿐이었다. 내 주변은 온통 성공, 가능성, 야심으로 가득했다. 사람을 녹초로 만드는 여덟 시간의 수술도 서서 견딜 수 있는 동료들과 선배들은 이제 나와는 다른 삶의 궤도를 따라 맹렬히 달리고 있었다. 나는 거꾸로 돌리는 크리스마스 캐럴에 갇힌 기분이었다. 동료 레지던트 빅토리아는 행운의 선물 꾸러미(연구 보조금, 일자리 제의, 의학 전문지 논문 게재)를 열고 있었다. 원래대로라면 나도 함께 누렸어야 하는 것들이었다. 선배들은 더는 내 것이 아닌 미래(젊은 의과학자 상 수상, 승진, 새집)를 살아가고 있었다.

아무도 내게 앞으로의 계획을 묻지 않아서 다행이었다. 아무런 계획도 없었으니 말이다. 나는 이제 지팡이 없이도 걸을 수 있었지만, 불확실한 앞날을 생각하면 온몸이 마비되는 기분이 들었다. 나는 앞으로 어떤 사람이 될까, 그리고 얼마나 오래 버틸 수 있을까? 환자? 과학자? 교사? 생명 윤리학자? 아니면 에마의 말대로 신경외과 의사 복귀? 집에만 있는 아빠? 작가? 대체 나는 무엇이 될 수 있고, 또 되어야 하는가? 의사 시절 나는 중병에 걸린 환자들이 마주친 문제들을 어느 정도 이해했었고, 바로 이런 순간을 그들과 함께 깊이 파고들기를 원했었다. 그렇다면, 죽음을 이해하고 싶었던 청년에게 불치병은 완벽한 선물이 아닌가? 죽음을 실제로 겪는 것보다 죽음을 더 잘 이해할 수 있는 방법이 어디 있겠는가? 하지만 나는 그것이 얼마나 힘들지, 또 얼마나 많은 영역을 탐구하고, 조사하고, 정리해야 할지 전혀 모르고 있었다. 내가 생각하는 의사의 일이란 두 개의 선로를 잘 연결해서 환자가 순조로운 기차 여행을 하도록 돕는 것이었다. 하지만 나 자신의 죽음을 대면하는 일이 이토록 혼란스러울 줄은 미처 몰랐다. "내 영혼의 대장간에서 아직 창조되지 않은 인류의 양심을 벼리고 싶다."고 생각했던 젊은 시절의 나를 다시 떠올려보았다. 하지만 지금에 와서 내 영혼을 들여다보니, 연장은 너무 약하고 불은 너무 뭉근해서 인류의 양심은커녕 내 양심조차 벼리지 못했다.

죽음의 단조로운 황무지에서 방황하던 나는 수많은 과학 연구들, 세포 내 분자 통로, 생존 통계의 끝없는 곡선에 아무

흥미를 느끼지 못했고, 결국 다시 문학을 읽기 시작했다. 솔제니친의 《암 병동》, B. S. 존슨의 《운 없는 사람들》, 톨스토이의 《이반 일리치의 죽음》, 네이글의 《정신과 우주》, 울프, 카프카, 몽테뉴, 프로스트, 그레빌, 암 환자들의 회고록 등 죽음에 관한 글이라면 뭐든 읽었다. 죽음을 이해하고 나 자신을 정의하고 다시 전진하는 방법을 찾는 데 도움이 될 어휘를 찾고 싶었다. 직접 체험이라는 특별한 경험을 하면서 문학 작품이나 학술적인 연구에서 멀어지긴 했지만, 내 경험을 언어로 옮겨야 한다는 생각이 늘었다. 헤밍웨이 역시 비슷한 형태의 저술 과정을 설명한 바 있다. 풍부한 경험을 하고 충분히 사색한 뒤 글을 쓰는 것 말이다. 내게는 앞으로 나아가기 위한 글들이 필요했다.

결국 이 시기에 내게 활기를 되찾아준 건 문학이었다. 너무나 불확실한 미래가 나를 무력하게 만들고 있었다. 돌아보는 곳마다 죽음의 그늘이 너무 짙어서 모든 행동이 무의미하게 느껴졌다. 하지만 나를 짓누르던 근심이 사라지고, 도저히 지나갈 수 없을 것 같던 불안감의 바다가 갈라지던 순간을 기억한다. 여느 때처럼 나는 통증을 느끼며 깨어났고, 아침을 먹은 다음엔 할 일이 아무것도 없었다. '나는 계속 나아갈 수 없어.'라고 생각하는 순간, 그에 대한 응답이 떠올랐다. 그건 내가 오래전 학부 시절 배웠던 사뮈엘 베케트의 구절이기도 했다. "그래도 계속 나아갈 거야." 나는 침대에서 나와 한 걸음 앞으로 내딛고는 그 구절을 몇 번이고 반복했다. "나는 계속 나아갈 수 없어, 그래도 계속 나아갈 거야(I can't go on, I'll go on)."•

그날 아침 나는 결심했다. 수술실로 다시 돌아갈 수 있도록 노력하기로. 왜냐고? 난 그렇게 할 수 있으니까. 그게 바로 나니까.

그리고 지금과는 다른 방식으로 사는 법을 배워야 한다. 죽음은 누구에게나 찾아오는 순회 방문객과도 같지만, 설사 내가 죽어가고 있더라도 실제로 죽기 전까지는 나는 여전히 살아 있다.

이후 6주 동안 나는 물리 치료 프로그램을 바꿔 수술에 필요한 체력을 만드는 데 집중했다. 수술실에 있으려면 오랜 시간 서서 버틸 수 있어야 하고, 작은 사물들을 현미 조작••할 수 있어야 하며, 또 척추경 나사를 설치할 수 있게 회

• 사뮈엘 베케트의 소설 《이름 붙일 수 없는 자》 중에서

내(回內, pronation) 운동을 할 수 있어야 했다.

또 한 번의 CT 촬영이 있었다. 종양은 조금 더 줄어 있었다. 나와 함께 결과를 검토하면서 에마는 이렇게 말했다. "당신이 얼마나 더 오래 살지 확실하게 말할 수는 없지만 이 말씀은 드릴 수 있어요. 당신 바로 전에 진찰한 환자는 7년 동안 타세바를 복용하면서 별 탈 없이 버텨왔어요. 당신의 암이 안정되려면 갈 길이 아직 멀지만, 지금 상태를 보면 10년 더 사는 것도 그리 허황된 꿈만은 아니에요. 확신할 수는 없지만 절대로 터무니없는 얘기는 아니에요."

드디어 예후가 나왔다. 아니, 예후라기보다는 명분이었다. 신경외과로, 일상의 삶으로 돌아가겠다는 내 결심을 뒷받침해줄 명분. 10년이란 전망이 많이 기쁘면서도, 다른 한편으로는 에마가 내게 신경외과 의사로 복직하는 건 힘드니 더 쉬운 일을 찾아보라고 말해줬으면 싶었다. 지난 몇 달 동안 힘들었던 건 분명한 사실이지만 심적 부담이 한결 줄어든 면도 있다는 걸 깨닫고는 깜짝 놀랐다. 신경외과 의사로서 짊어져야 하는 지독한 책임감에서 해방됐으니 말이다. 솔직히 말해서 그런 명에를 피하고 싶은 마음도 있었다. 신

●● micromanipulation, 현미경을 이용한 해부, 수사 등의 조작.

181

경외과는 정말로 힘든 곳이라 복귀하지 않는다고 해서 내게 손가락질할 사람은 아무도 없었다. (사람들이 종종 신경외과 일이 소명이냐고 물어보면 나는 항상 그렇다고 대답한다. 이 일을 직업으로 보면 안 된다. 만약 직업이라면 최악의 직업들 중 하나일 것이다.) 몇몇 교수는 복직하겠다는 내 생각을 적극적으로 말렸다. "당연히 가족과 함께 시간을 더 보내야 하는 거 아니야?" ('당연히'라니? 내가 이 일을 하기로 결심한 건 내게는 신성한 일이었기 때문이다.) 루시와 나는 이제 막 산의 정상에 올랐고, 우리 밑에는 지난 세대의 모든 생물의학적·기술적 변화를 이루어낸 실리콘밸리의 대표 기업들이 늘어서 있었다. 하지만 수술용 드릴을 다시 잡고 싶은 욕구가 너무 강했다. 도덕적인 의무에는 무게가 있고, 무게를 가진 것은 중력을 갖고 있다. 그래서 생사가 걸린 막대한 책임을 져야 하는 의무가 나를 다시 수술실로 끌어당겼다. 루시는 내 생각을 전폭적으로 지지해주었다.

나는 스탠퍼드 대학의 교무국장에게 레지던트 근무로 복귀할 준비가 되었음을 알렸다. 그는 내 말을 듣고 무척 감동한 듯했다. 동료 레지던트 빅토리아와 복귀를 위해 예전 감각을 회복할 수 있는 최선의 방법을 의논했다. 나는 일이 잘못될 경우 나를 지원해줄 동료 레지던트를 한 명 붙여달라고 부탁했다. 그리고 하루에 한 건의 수술만 맡을 예정이었다. 수술실 밖에서 환자를 상대하거나 호출에 대기하는 일은 없을 것이었다. 우리는 신중하게 치근차근 진행하기로 했다. 수술 일정이 나왔고, 나는 특히 자신 있는 측두엽 절제 수술에 배정되었다. 보통 간질은 측두엽 깊숙이 있는 해마가 잘못되어 발생한다. 해마를 제거하면 간질을 치료할 수 있지만 그 수술은 복잡하다. 뇌줄기 바로 옆에 있는 연수막(pia mater), 즉 뇌를 감싸고 있는 섬세하고 투명한 막으로부터 해마를 분리해내는 섬세한 작업이 필요하다.

나는 수술 전날 밤에 외과 교과서들을 열심히 읽으며, 인체의 해부학적 구조와 수술 절차를 검토했다. 두부의 각도, 두개골을 자르는 톱, 측두엽이 제거되고 나서 연수막에 빛이 반사되는 이미지를 보고 있자니 쉽게 잠들 수가 없었다. 출근할 시간이 되자 나는 침대에서 나와 셔츠를 입고 넥타이를 맸다. (수술복은 다시 입을 일이 없을 것 같아 몇 달 전에 전부 반납했었다.) 병원에 도착하자 18주 만에 처음으로 익숙한 푸른색 가운으로 갈아입었다. 나는 환자에게 마지막으로 하고 싶은 질문이 없는지 확인한 뒤 수술 절차를 밟았다. 환자에게 관이 삽입되었고, 담당의와 나는 손을 씻으며 수술 준비를 했다. 나는 메스를 들고 귀 바로 윗부분의 피부를 절개했다. 천천히 손을 움직이면서, 뭔가를 놓치거나 실수를 하지 않으려고 무척 애썼다. 전기 소작기(electrocautery)를 써서 그 절개 부분을 뼈까지 깊숙이 판 뒤, 피부판(skin flap)을 갈고리로 들어올렸다. 내 몸이 기억하고 있는 듯 모든 게 익숙하게 느껴졌다. 나는 드릴을 들고 두개골에 세 개의 구멍을 냈다. 내가 작업을 하는 동안 담당의는 드릴을 차갑게 유지하기 위해 물을 뿌려주었다. 나는 두개골을 옆으로 자르는 개두기로 드릴 날을 바꿔 끼우고 구멍들을 연결하여 큰 뼛조각을 만들었다. 그런 다음 딱 하는 소리와 함께 그 뼛조각을 들어 올렸다. 그러자 은색의 경수막(dura mater)이 드러났다. 초보 레지던트들은 드릴을 사용하다가 경수막에 손상을 입히는 실수를 자주 저지르는데, 나는 다행히도 잘 넘겼다. 나는 예리한 칼을 써서 뇌를 손상시키지 않으면서 경수막을 열었다. 이번에도 성공했고, 나는 서서히 긴장이 풀리기 시작했다. 나는 본격적인 수술을 하는 동안 방해가 되지 않도록 경수막을 작은 바늘땀으로 살짝 꿰매어놓았다. 뇌는 약하게 고동치면서 번들거렸다. 아주 깨끗한 중간대뇌정맥(Sylvian vein)들이 측두엽 위를 가로지르고 있었다. 복숭앗빛을 띤 익숙한 뇌 주름이 내게 다정하게 손짓하는 것 같았다.

그때 갑자기 시야 가장자리가 흐릿해졌다. 나는 도구를 내려놓고 수술대 뒤로 물러났다. 현기증이 밀려오면서 시야가 점점 더 어두워졌다.

"죄송합니다, 선생님." 나는 담당의에게 말했다. "조금 어지러워서요. 누워야 할 것 같습니다. 후배 레지던트인 잭이 수술을 마무리할 겁니다."

잭이 잽싸게 수술실로 들어왔고 나는 양해를 구한 뒤 자리를 떴다. 그러고는 휴게실로 가서 소파에 누워 오렌지 주스를 홀짝였다. 20분 정도 지나자 한결 기분이 좋아졌다. "신경 심장성 실신(Neurocardiogenic syncope)이군." 나는 혼자 속삭였다. 자율 신경계가 잠시 심장을 멈춘 것이다. 쉽게 말해 신경과민이었다. 신참들이 흔히 겪는 문제였다. 내가 기대했던 수술실 복귀는 이런 모습이 아니었다. 나는 라커 룸으로 가서 더러운 수술복을 세탁실에 던져 넣고 평상복으로 갈아입었다. 나가는 길에 깨끗한 수술복을 한 무더기 집어들었다. 나는 내일은 너 나을 거라고 중얼거렸다.

실제로 그랬다. 날이 갈수록 수술이 손에 익었다. 하지만 속도는 예전보다 약간 느렸다. 셋째 날, 나는 환자의 척추에서 퇴행성 디스크를 제거하고 있었다. 나는 부풀어 오른 디스크를 응시하면서 정확한 조처를 기억해 내려고 애썼다.

나를 감독하던 동료는 뼈집게(rongeur)로 조그만 뼛조각들을 집어내는 방법을 제안했다.

"그래요, 보통은 그렇게 하죠." 나는 중얼거렸다. "하지만 다른 방법이……."

나는 20분 동안 뼈를 조금씩 갈아내면서 예전에 내가 해냈던 좀 더 훌륭한 방식을 떠올리려고 애썼다. 척추의 다음 단계를 살펴보다가 좋은 생각이 번뜩 떠올랐다.

"콥 도구 가져와요!" 나는 큰 소리로 말했다. "나무망치하고 케리슨도요."

나는 30초 만에 디스크를 통째로 제거했다. "난 이렇게 합니다." 내가 말했다.

그후 몇 주 동안 나는 체력이 계속 좋아졌고, 점점 더 능수능란하게 수술을 하게 되었다. 내 두 손은 1밀리미터도 안 되는 혈관을 손상 없이 다루는 법을 다시 익혔고, 내 손가락은 예전에 알았던 기술들을 다시 발휘했다. 한 달 뒤 나는 수술을 거의 처음부터 끝까지 해낼 수 있었다.

나는 수술에만 집중하고, 행정사무나 환자 관리, 야간과 주말 대기 같은 업무는 빅토리아를 비롯한 다른 고참 레지던트들에게 맡겼다. 그런 일들엔 이미 통달했으니, 이제 복잡한 수술의 세밀한 부분들을 익히기만 하면 완벽하다고 느껐다. 수술이 끝나면 무척 지쳤고 근육이 불타는 것처럼 아팠지만, 차차 나아졌다. 솔직히 말하자면 수술이 그다지 즐겁지는 않았다. 한때 수술을 하면서 느꼈던 본능적인 즐거움은 사라지고, 메스꺼움, 통증, 피로감을 이기려는 강철 같은 집중력만 남았다. 매일 밤 집에 오면 나는 한 움큼의 진통제를 입 안에 털어 넣은 다음, 나만큼 빡빡한 일정을 마치고 돌아온 루시 옆에 누웠다. 루시는 이제 임신 3개월 차였고, 내 레지던트 근무가 끝나는 6월에 출산할 예정이었다. 우리는 착상 직전에 찍은 주머니배(blastocyst) 사진을 갖고 있었다. (나는 루시에게 "아이가 당신 세포막을 가지고 있네."라고 말했다.) 나는 내 삶을 이전 궤도로 돌려놓고 말겠다는 결심을 더욱 굳혔다.

암 진단을 받고 6개월이 지난 후의 정밀검사 결과 역시 안정적이었고, 나는 다시 일자리를 알아보기 시작했다. 지금처럼 암을 관리하면 앞으로 몇 년은 더 살 수 있었다. 몇 년 동안 잡으려 애썼지만 병 때문에 사라져버렸던 경력이 이제 다시 내 손에 잡힐 것처럼 보였다. 승리를 축하하는 팡파르 소리가 들리는 것만 같았다.

에마와의 다음 만남에서 우리는 삶에 대해, 그리고 그 삶이 나를 어디로 이끄는지에 대해 이야기를 나누었다. 나는 문득 연소 기관의 과학적인 힘과 성모 마리아의 실존적인 힘을 비교하려 했던 소설가 헨리 애덤스가 생각났다. 과학적인 의문이야 이제 해결되었고 실존적인 의문이 큰 고민 거리로 남아 있지만 그 두 가지 모두 의사의 권한 안에 있었다. 나는 스탠퍼드 대학의 외과의 겸 과학자 자리(내가 후임을 맡기로 했던 직책)가 내가 아파서 자리를 비운 사이에 다른 사람으로 채워졌다는 소식을 얼마 전에 들은 참이었다. 나는 절망했고 에마에게 내 심정을 얘기했다.

"음, 의사 겸 교수는 보통 힘든 자리가 아니잖아요. 물론 다 알고 하시는 얘기겠죠. 안타깝네요." 에마가 말했다.

"그렇죠, 생각해보면 제가 흥미를 느꼈던 연구는 20년은 걸리는 프로젝트들이었어요. 그만큼의 시간이 없다면 과학자가 꼭 되고 싶은 것도 아니에요."

어느새 나는 스스로를 위로하고 있었다. "몇 년 안에 많은 일을 할 수는 없으니까요."

"맞아요. 하지만 명심하세요, 당신은 이미 굉장히 잘하고 있어요. 다시 복직했잖아요? 앞으로 아이도 보게 될 거고요. 당신은 가치 있게 여기는 것들을 찾아가고 있는 중이에요. 그건 쉽지 않은 일이죠."

그날 늦게 이전에 레지던트였던 가까운 친구 한 명과 복도에서 마주쳤다. 그녀는 젊은 나이에 교수가 되었다.

"아, 폴." 그녀가 말했다. "교수 회의에서 네 얘기가 많이 오갔어."

"내 이야기? 대체 어떤?"

"네가 레지던트 과정을 마칠 수 있을지 걱정하는 교수들이 좀 있는 것 같아."

레지던트 과정을 수료하려면 두 가지 조건이 필요하다. 첫째, 국가와 지역에서 요구하는 일정한 조건을 충족시켜야 하는데, 이는 내가 이미 끝낸 일이었다. 그리고 둘째, 교수진의 승인을 받아야 한다.

"뭐라고? 건방진 소리를 하려는 게 아니라, 난 괜찮은 외과의잖아. 누구 못지않게……."

"나도 알아. 그저 네가 최고참 레지던트로서 업무를 백 퍼센트 해내는 걸 보고 싶어서 그런 말들이 나오는 거겠지. 다 널 생각해서 그러는 거야. 정말이야."

그녀의 말은 사실이었다. 지난 몇 달 동안 나는 그저 수술 전문가 노릇만 해왔다. 암을 핑계 삼아 환자를 완벽하게 책임지지 않았다. 참 좋은 구실이었지, 젠장. 하지만 이제 나는 일찍 출근하고 늦게 퇴근하며 다시 환자를 꼼꼼히 챙기기 시작했고, 열두 시간의 근무 시간에 네 시간을 더했다. 그렇게 환자들을 내 마음의 중심으로 되돌려놓았다. 근무 시간을 늘린 첫 이틀은 메스꺼움, 통증, 피로감에 시달렸고, 힘들면 빈 침대에 쓰러져 잠깐 눈을 붙이기도 했다. 다시 예전처럼 근무 시간을 줄여야 하는 건 아닌가 하는 생각이 들 정도였다.

하지만 셋째 날이 되자 몸은 여전히 힘들었지만 근무가 다시 즐거워지기 시작했다. 환자와 다시 접촉하면서부터는 이 일의 의미도 되찾을 수 있었다. 수술 사이에, 그리고 회진을 돌기 전에 나는 구토 방지제와 비(非)스테로이드성 소염제를 복용했다. 힘들었지만, 나는 완전히 업무에 복귀했다. 이제는 빈 침대를 찾는 대신 후배 레지던트들의 소파에서 쉬었고, 허리 통증을 참으면서 후배들에게 내 환자들의 치료와 관련된 사항을 지시하거나 훈계를 하기도 했다. 몸이 고통스러울수록 성취감은 더욱 커졌다. 그렇게 첫 주를 보낸 후 나는 40시간을 내리 잤다.

하지만 그 덕분에 이제 내가 수술실 상황을 통제할 수 있게 되었다.

"선생님, 내일 수술 건들을 검토해봤는데, 첫 번째는 뇌빈구 사이 수술로 잡혀 있더군요. 하지만 제 생각에는 두정뇌성엽으로 접근하면 훨씬 더 안전하고 쉬울 것 같습니다."

"그런가?" 담당의가 말했다. "필름 좀 보겠네. 이런, 자네 말이 맞군. 나 대신 내용 변경 좀 해주겠나?"

다음 날은 이렇게 말했다. "안녕하세요, 선생님. 폴입니다. F 씨가 가족과 함께 중환자실에 있던데요, 내일 ACDF (Anterior cervical discectomy and fusion)를 받게 하는 게 좋을 것 같습니다. 일정을 잡아도 괜찮을까요? 언제 시간 되십니까?"

그리고 수술실에서도 다시 전속력으로 움직였다.

"간호사 신생님, S 선생님께 연락 부탁합니다. S 선생님이 여기 오시기 전에 수술이 끝날 것 같아서요."

"연락드렸는데 벌써 끝날 리가 없다고 하시던데요."

담당의가 가쁘게 숨을 몰아쉬며 뛰어 들어와 손을 씻고 현미경을 들여다봤다.

"부비강을 피하느라 약간 예각(鋭角)이 됐는데요." 내가 말했다. "하지만 종양은 전부 적출했습니다."

"부비강을 피했다고?"

191

"네."

"통째로 꺼낸 건가?"

"네, 보실 수 있게 수술대 위에 놓았습니다."

"훌륭해. 대단하군. 언제 이렇게 손이 빨라졌나? 더 일찍 오지 못해서 미안하네."

"괜찮습니다."

병을 앓으면서 겪게 되는 종잡을 수 없는 건 가치관이 끊임없이 바뀐다는 것이다. 환자가 되면 자신에게 중요한 게 뭔지 알아내려고 계속 애를 쓰게 된다. 누군가가 내 신용카드를 가져가 버리는 바람에 자금 계획 세우는 법을 배워야 하는 상황에 처하는 것과 비슷하다. 신경외과 의사로 일하기로 결정했더라도, 두 달 뒤엔 생각이 달라질 수 있다. 두 달 후에는 색소폰 연주를 배우거나 신앙생활에 몰두하고 싶은 마음이 생길지도 모르는 일이다. 죽음은 단 한 번 있는 일이지만, 불치병을 안고 살아가는 건 계속 진행되는 과정이다.

나는 문득 내가 슬픔의 5단계(부정-분노-협상-우울-수용)를 이미 다 겪었지만 역순으로 거슬러 올라갔다는 생각이 들었다. 암 진단을 받았을 때, 나는 죽음을 맞을 각오가 되어 있었다. 불만도 없었다. 현실을 받아들였다. 나는 이미 준비된 상태였다. 그런데 그렇게 빨리 죽지 않을 수도 있다는 사

실이 분냉해지자 우울해졌다. 분명 희소식이었지만 혼란스
럽고 기이할 정도로 맥이 빠졌다. 암 치료 의학이 빠르게 발
전하고 있는 데다 통계 수치를 봐도 나는 12개월, 혹은 120
개월을 더 살 수 있을지도 몰랐다. 중병에 걸리면 삶의 윤곽
이 아주 분명해진다. 나는 내가 죽으리라는 걸 알았다. 하지
만 그건 전부터 이미 알고 있던 사실이었다. 내가 갖고 있는
지식은 그대로였지만 인생 계획을 짜는 능력은 완전히 엉망
진창이 됐다. 내게 남은 시간이 얼마나 되는지 알기만 하면
앞으로 할 일은 명백해진다. 만약 식 달이 남았다면 가족과
함께 시간을 보낼 것이다. 1년이라면 책을 쓸 것이다. 10년이
라면 사람들의 질병을 치료하는 삶으로 복귀할 것이다. 우
리는 한 번에 하루씩 살 수 있을 뿐이라는 진리도 별 도움이
되지 않았다. 그 하루를 가지고 난 대체 뭘 해야 할까?

어느 순간 나는 약간의 협상을 시도했다. 정확히 말하
면 협상이라기보다는 이런 식이었다. "하느님, 〈욥기〉를 읽
었는데 이해가 안 됩니다. 하지만 제 믿음을 시험하려고 이
러시는 거라면, 제 믿음이 얼마나 약해 빠졌는지 이제 아
셨을 겁니다. 저는 파스트라미 샌드위치에 매운 겨자가 빠
져 있기만 해도 불경스러운 말을 뱉는 사람이니까요.*" 하느
님, 제게 이렇게 핵폭탄급 시련을 주실 필요는 없었을 텐데

요……." 이렇게 협상을 하다가 분노가 치밀었다. "평생을 바쳐 여기까지 왔는데, 이제 암을 주십니까?"

그리고 마침내 나는 부정, 그것도 전면적인 부정 단계에 이르렀다. 아무것도 확실하지 않은 상황에서는 오래 살 수 있을 거라고 가정하는 수밖에 없다. 그렇게라도 생각하지 않으면 앞으로 나아갈 수 없으니까.

암 진단을 받은 지 9개월째, 나는 어떻게든 레지던트 생활을 끝내려는 마음에 늦은 밤이나 이른 아침까지 수술을 했다. 몸은 크게 축나고 있었다. 퇴근해서 집에 오면 밥 먹을 힘조차 없었다. 나는 타이레놀과 비스테로이드성 소염제, 구토 방지제의 양을 서서히 늘려갔다. 죽은 종양이 폐에 남긴 상처 때문인지 시도 때도 없이 기침이 나왔다. 어쨌든 레지던트 기간을 마치고 비교적 여유가 있는 교수 자리에 정착하려면 앞으로 몇 달은 더 이런 숨 가쁜 생활을 버텨야 했다.

2월에 나는 위스콘신 대학으로 가서 면접을 봤다. 그들은 내가 바라는 모든 것을 제공해주겠다고 했다. 신경과학 연

● 사소한 불운에도 god damn을 연발할 정도로 신앙심이 약하다는 뜻.

구소를 열 수 있는 수백만 달러의 예산, 내가 우두머리가 되어 이끌 수 있는 진료소, 내 건강 관리를 위한 자유근무시간제, 후에 종신 교수 자원 자격이 주어지는 조교수 자리, 루시에게도 매력적인 일자리 제공, 높은 연봉, 아름다운 풍경, 목가적인 마을, 이상적인 상사 등 부족한 것이 없었다. "선생님의 몸 상태는 잘 알고 있습니다. 선생님을 담당하는 종양학 전문의와도 많이 가까워지셨겠죠." 학과장이 말했다. "스탠퍼드에서 계속 치료 받고 싶으시다면 그래도 상관없습니다만 우리 학교에도 최고 수준의 암 센터가 있으니 한번 알아보시는 것도 좋을 것 같군요. 선생님을 이 자리에 모시려면 또 어떤 조건이 있어야 할까요?"

나는 에마가 내게 했던 말을 생각해보았다. 나는 다시 외과의가 될 수 없다고 믿었지만 결국엔 되었고, 이건 개종과 다를 바 없는 강력한 변화였다. 에마는 심지어 내가 생각지 못할 때에도 나의 이 정체성을 늘 염두에 두었다. 그녀는 몇 년 전 내가 의사로서 도전했던 일을 해낸 것이다. 즉, 환자의 영혼에 대한 막중한 책임을 받아들이고, 환자가 원래의 자신으로 돌아갈 수 있는 지점으로 되돌려놓았다. 에마가 나에게 한 일이 바로 그것이었다. 나는 신경외과 레지던트로서 최고 정점에 도달했었고, 신경외과의뿐만 아니라 외과의를 겸한 과학자가 될 생각이었다. 모든 레지던트들이 이런 경지를 갈망하지만, 성공하는 사람은 거의 없다.

그날 밤, 위스콘신 대학 학과장은 저녁 식사 후에 호텔까지 나를 태워다주었다. 도중에 그가 차를 길가에 세우더니 이렇게 말했다. "보여드릴 게 있습니다." 우리는 차에서 내려 병원 앞에 서서 꽁꽁 얼어붙은 호수를 바라보았다. 연구실에서 새어 나오는 불빛 때문에 호수의 저편 가장자리가 반짝거리며 빛났다. "여름엔 수영을 하거나 요트를 타고 출근할 수 있죠. 겨울엔 스키나 스케이트를 탈 수 있고요."

참 환상적인 얘기였다. 그 순간 문득 이런 생각이 들었다. 이건 정말 환상에 불과해. 위스콘신 대학으로 옮길 수는 없었다. 2년 안에 내 병세가 심각해지기라도 하면 어떻게 될까? 루시는 친구도 가족도 없는 곳에서 홀로 외로워하며, 죽어가는 남편과 갓 태어난 아기를 돌봐야 할 것이다. 우리가 그토록 맹렬히 저항했지만, 암은 결국 인생 계획을 바꿔놓았다. 지난 몇 달 동안 나는 암 진단을 받기 전의 생활 패턴으로 돌아가려고 발버둥을 치면서, 암이 내 인생에 영향을 미친다는 사실을 애써 부정했다. 승리감을 느끼고 싶은 마음이 간절했지만, 게의 집게발에 붙잡힌 기분이 들었다. 암의 저주에 걸린 나는 다가오는 죽음을 무시하지도 거기에 매이지도 못하는 기이하고도 불편한 상황에 처하고 말았다. 암은 물러나 있을 때조차 긴 그림자를 드리웠다.

스탠퍼드 대학의 교수직을 놓쳤을 때, 나는 한 연구실을 운영하려면 20년 단위로 계획을 짜야 이치에 맞는다며 스스로를 위로했었다. 이제는 그것이 사실임을 깨달았다. 프로이트는 성공한 신경과학자로 경력을 시작했다. 하지만 정신을 이해하려는 그의 진정한 야망을 신경과학이 따라잡으려면 적어도 한 세기는 더 지나야 한다는 사실을 깨닫자, 그는 현미경을 한쪽으로 치웠다. 나도 그와 비슷한 기분을 느꼈던 것 같다. 내 연구를 통해 신경외과학을 변혁하려던 목표는 내 병을 생각하면 성공 가능성이 거의 없는 도박이었다. 연구실은 남은 판돈을 모두 걸고 싶은 곳은 아니었다.

그때 다시 에마의 목소리가 들렸다. '당신에게 가장 중요한 게 뭔지 찾아내야 해요.'

신경외과의를 겸한 신경과학자로 가장 높이 날아오르려던 욕심을 버린다면, 이제 내가 원하는 건 뭘까?

아버지가 되는 것?

신경외과의가 되는 것?

후학을 가르치는 것?

도무지 알 수가 없었다. 하지만 내가 바라는 게 뭔지는 몰라도, 나는 히포크라테스나 마이모니데스, 오슬러도 가르쳐 주지 않은 뭔가를 배웠다. 의사의 의무는 죽음을 늦추거나 환자에게 예전의 삶을 돌려주는 것이 아니라, 삶이 무너져 버린 환자와 그 가족을 가슴에 품고 그들이 다시 일어나 자 신들이 처한 실존적 상황을 마주보고 이해할 수 있을 때까 지 돕는 것이다.

내가 외과의로서 얼마나 오만했었는지 뼈저리게 느꼈다. 최대한의 책임감과 권한으로 환자를 돌보려 했지만, 그것은 기껏해야 일시적인 책임이고 덧없는 권한이었다. 위기의 순 간을 무사히 넘기면, 환자는 깨어나 몸에 삽입했던 관을 제 거하고 퇴원한다. 이렇게 병원을 떠난 환자와 가족은 계속 일상을 살아가겠지만 결코 예전과 같지 않다. 신경외과 의 사의 메스가 뇌 질환을 해결하듯이, 의사의 말은 환자의 마 음을 편하게 만들 수 있다. 하지만 감정적이든 육체적이든 불확실성과 병적 상태는 환자 본인이 계속 씨름해야 할 문 제로 남는다.

에마는 나의 옛 정체성을 되돌려주지는 않았다. 대신에 새로운 정체성을 형성할 수 있는 내 능력을 지켜주었다. 그 리고 나는 새로운 정체성이 필요하리라는 것을 마침내 깨달 았다.

사순절 세 번째 주일인 수정처럼 맑은 봄날 아침, 루시와 나는 주말을 우리와 함께 보내려고 애리조나에서 오신 부모님과 함께 교회로 갔다. 우리는 기다란 나무 신도석에 앉았는데, 어머니는 바로 옆에 앉은 다른 가족과 어느새 대화를 나누고 있었다. 아이 엄마에게 아이의 눈을 칭찬한 뒤 좀 더 중요한 문제로 재빠르게 넘어가면서, 낯선 사람의 말을 친구처럼 들어주는 능력을 유감 없이 발휘하고 있었다. 목사가 성경을 읽을 때 나는 자꾸 웃음이 났다. 예수가 자신의 비유적인 언어를 문자 그대로 해석하는 추종자들 때문에 좌절하는 내용이었다.

예수님께서 그 여자에게 이르셨다. "이 물을 마시는 자는 누구나 다시 목마를 것이다. 그러나 내가 주는 물을 마시는 사람은 영원히 목마르지 않을 것이다. 내가 주는 물은 그 사람 안에서 솟는 샘물이 되어 영원한 생명을 누리게 할 것이다." 그러자 그 여자가 예수님께 말하였다. "선생님, 그 물을 저에게 주십시오. 그러면 제가 목마르지도 않고, 또 물을 길으러 이리 나오지 않아도 되겠습니다."

……그러는 동안 제자들은 예수님께 "스승님, 잡수십시오." 하고 권하였다. 그러나 예수님께서 "나에게는 너희가 모르는 먹을 양식이 있다." 하시자, 제자들은 서로 "누가 스승님께 잡수실 것을 갖다 드리기라도 하였다는 말인가?" 하고 말하였다.

성경을 문자 그대로 해석하는 것을 조롱하는 게 분명한 이런 구절들을 접하면서 나는 기독교에 대한 관심이 되살아났다. 대학 입학 이후 오랫동안 하느님과 예수에 대한 내 생각은 점잖게 말하자면 좀 심드렁했다. 철저한 무신론자였던 시절, 나는 경험적 근거가 없다는 논리로 기독교 신앙을 공격했다. 기독교의 가르침보다는 계몽된 이성이 더 논리 정연한 우주를 보여주었다. 분명 오컴의 면도날*은 맹목적인 신앙으로부터 신자들을 해방시켰다. 신의 존재가 증명되지 않았으니 신을 믿는 건 비이성적인 일이었다.

비록 나는 밤마다 기도하고 성경을 읽는 독실한 기독교 집안에서 자랐지만, 과학 연구에 종사하는 사람들 대부분이

---

* 오컴의 면도날은 어떤 사실 또는 현상에 대한 설명들 가운데 논리적으로 가장 단순한 것이 진실일 가능성이 높다는 원칙을 의미한다. 오컴은 이 원칙에 의거하여, 신과 세상 사이에 실제적 관계가 존재한다는 기존의 교리를 부정하고, 신과 피조물 사이의 관계는 오로지 피조물의 정신에 달려 있다고 말했다.

그렇듯 신이나 영혼, 긴 옷을 입고 흰 피부에 수염을 기른 남자 같은 구시대적인 개념을 배제한, 완벽한 형이상학을 완성해줄 궁극의 과학적인 세계관, 물질적인 개념의 현실이 가능하다고 믿게 되었다. 나는 이십 대의 많은 시간을 이런 생각의 틀을 짜는 데 바쳤다. 하지만 결국 문제가 분명하게 드러났다. 과학을 형이상학의 결정권자로 보면 세상에서 신뿐만 아니라 사랑, 증오, 의미도 함께 사라져버리고, 이런 의미가 모두 사라진 세상은 결코 우리가 살고 있는 이 세상이라 할 수 없다. 그렇다고 인생의 의미를 믿으면 반드시 신도 믿어야 한다는 뜻은 아니다. 하지만 과학이 신에 대해 어떤 근거도 제공할 수 없다면, 마찬가지로 인생의 의미에 대한 근거도 마련해주지 못할 것이다. 그리고 결국은 인생 자체에 아무런 의미도 없다는 결론에 다다를 것이다. 다시 말해, 실존적 주장은 아무런 무게도 지니지 못하게 되고 과학적 지식이 곧 모든 지식이 되어버리고 만다.

하지만 역설적이게도 과학방법론은 인간이 만든 산물이기에 영원불변의 진리에 도달할 수 없다. 우리는 세상을 체계적으로 정리하고 손쉽게 조작하기 위해, 현상을 다루기 쉬운 단위들로 축소하기 위해 과학 이론을 만든다. 과학은 재현 가능성과 인위적인 객관성에 기반을 둔다. 그래서 물질과 에너지에 대해 이런저런 주장을 내세울 때는 탁월하지만, 고유하고 주관적이며 예측할 수 없는 인생의 실존적이고 본능적인 성질에 과학 지식을 적용하는 건 불가능하다. 과학은 경험적이고 재현 가능한 정보를 체계화하는 데 가장 유용한 방식일지도 모르지만, 그러한 과학의 능력은 역설적으로 인생의 가장 중심적인 측면들(희망, 두려움, 사랑, 증오, 아름다움, 질투, 명예, 나약함, 부단한 노력, 고통, 미덕)을 포착하지 못하는 데서 비롯된다.

　이런 핵심적인 감정과 과학 이론 사이의 간극은 영원히 존재할 것이다. 그 어떤 사상 체계도 인간 경험을 온전하게 담을 수 없다. 형이상학은 계시(啓示)의 영역으로 남아 있다. (무신론이 아니라 바로 이것이 오컴의 주장이었다.) 무신론도 이런 근거에서만 정당화될 수 있다. 그레이엄 그린의 장편소설 《권력과 영광》에 등장하는 군 지휘관이야말로 무신론자의 원형이다. 그는 신이 없다는 계시를 통해 무신론자가 된다. 진짜 무신론이라면 세상을 만드는 차원의 비전에 바탕을 두고 있어야 한다. 많은 무신론자들이 즐겨 인용하는, 노벨상 수상자이자 프랑스 생물학자인 자크 모노의 말은 이런 계시적인 측면과 상충된다. "고대의 계약은 산산조각났다. 인간은 우연히 생겨난 우주라는 냉혹한 광대무변함 속에 자기 혼자라는 사실을 마침내 알게 되었다."

하지만 나는 기독교 신앙의 핵심적인 가치(희생, 구원, 용서)로 돌아왔다. 저항하기 힘들 정도로 아주 매력적이었기 때문이다. 성경에서는 정의와 자비가, 구약과 신약이 갈등을 일으킨다. 그리고 신약에 따르면 인간은 절대 충분히 선할 수 없다. 선(善)은 물(物)자체*이며, 사람은 절대로 물자체를 완벽하게 파악해 그 기준에 부합하며 살 수 없다는 뜻이다. 나는 예수가 전하려던 주된 메시지는 자비가 항상 정의를 이긴다는 것이라고 믿었다.

또한 원죄의 기본적인 메시지는 "늘 죄책감을 느끼라"는 것이 아니다. 그보다는 이런 맥락일 것이다. "우리 모두는 선하다는 게 어떤 의미인지 알고 있지만, 항상 거기에 맞춰 살지는 못한다." 결국 이것이 신약성경의 메시지이다. 설사 당신이 구약성경의 〈레위기〉를 잘 안다 해도 그대로 따르며 살 수는 없다. 불가능할 뿐만 아니라 어리석은 일이다.

물론 나는 신에 대해 아무것도 확정적으로 말할 수 없지

---

* thing itself. 물자체는 칸트의 용어이다. 칸트는 경험에 따라서 드러나는 세계인 "현상계"와, 인간의 마음과는 독립적으로 존재하는 물자체의 세계인 "예지계"를 구분했다. 칸트가 볼 때 예지계는 그것이 무엇인지 알 수 없는 상태를 유지한다. 현상세계에서 경험되는 사물이 물자체와 어떤 관계가 있다고 가정하지만 그것도 어디까지나 추측에 지나지 않는다는 것이다.

만, 인생의 근본적인 현실을 생각하면 맹목적인 결정론은 정말로 받아들이기 힘들다. 게다가 나를 포함해 그 누구도 계시가 인식론적 권위를 갖고 있다고는 생각하지 않는다. 우리는 모두 이성적인 사람들이며, 계시만으로 만족하지 못한다. 설사 신이 우리에게 말을 건다 해도 우리는 그것을 망상으로 치부할 것이다.

그렇다면 형이상학자의 뜻을 품은 사람은 어떻게 해야 할까?

포기해야 할까?

거의 그렇다.

궁극적인 진리를 향해 열심히 나아가되 거기에 닿는 것은 불가능하다는 걸, 혹은 가능하다 해도 확실히 입증하는 건 불가능하다는 걸 인지하고 있어야 한다.

결국 우리 각자는 커다란 그림의 일부만 볼 수 있을 뿐이다. 의사가 한 조각, 환자가 다른 조각, 기술자가 세 번째, 경제학자가 네 번째, 진주를 캐는 잠수부가 다섯 번째, 알코올 중독자가 여섯 번째, 유선방송 기사가 일곱 번째, 목양업자가 여덟 번째, 인도의 거지가 아홉 번째, 목사가 열 번째 조각을 보는 것이다. 인류의 지식은 한 사람 안에 담을 수 없다. 그것은 우리가 서로 맺는 관계와 세상과 맺는 관계에서 생성되며, 결코 완성되지 않는다. 그리고 궁극적인 진리는 이 모든 지식 위 어딘가에 있다. 그 일요일 아침에 목사가 마지막으로 읽은 성경 글귀는 다음과 같았다.

씨 뿌리는 이가 수확하는 이와 함께 기뻐하게 되었다. 과연 "씨 뿌리는 이가 다르고 수확하는 이가 다르다."는 말이 옳다. 나는 너희가 애쓰지 않은 것을 수확하라고 너희를 보냈다. 사실 수고는 다른 이들이 하였는데, 너희가 그 수고의 열매를 거두는 것이다.

수술실로 복귀한 지 7개월이 지난 어느 날, 나는 CT 촬영기에서 내려왔다. 레지던트 생활을 마치고, 아버지가 되고, 내 미래가 현실이 되기 직전 마지막으로 찍는 CT 촬영이었다.

"선생님, 한번 보시겠어요?" 촬영 기사가 말했다.

"지금 당장은 못 보겠네요." 내가 대답했다. "오늘 할 일이 많아서요."

벌써 오후 6시였다. 나는 환자들을 보고, 내일 수술 일정을 짜고, 필름들을 검토하고, 임상적으로 처리할 일들을 지시하고, 회복실에 들르는 등등의 일을 해야 했다. 8시 즈음 나는 신경외과 사무실에서 방사선 검사 결과를 보여주는 기계 옆에 앉아 있었다. 나는 기계의 전원을 켜고 내일 볼 환자들의 검사 결과를 검토했다. 간단한 척추 수술 두 건이었다. 그리고 마지막으로 내 이름을 검색창에 입력해 자료를 불러왔다. 예전의 결과와 오늘 촬영한 결과를 비교하면서, 유아용 플립 북°을 보는 것처럼 빠르게 이미지를 넘겼다. 달라진 게 없어 보였다. 이전에 있던 종양들이 정확히 그대로…… 아니, 잠깐만.

나는 이미지를 되돌려 다시 자세히 살폈다.

거기에 그것이 있었다. 새로운 커다란 종양이 우중엽을 채우고 있었다. 마치 지평선을 막 벗어난 보름달 같은 놈이. 예전 촬영 결과를 다시 보니, 새로 생긴 종양의 희미한 흔적을 알아볼 수 있었다. 보일 듯 말 듯 유령 같았던 조짐이 이제 뚜렷하게 그 모습을 드러냈다.

나는 화나지도 겁먹지도 않았다. 정말로 그랬다. 그것은 태양과 지구 사이의 거리처럼, 객관적 사실이었다. 나는 차를 몰고 집으로 가서 루시에게 새로운 상황을 알려주었다. 목요일 밤이었고, 월요일까지는 에마를 못 볼 테지만, 우리는 거실에 앉아 노트북을 켜놓고 생체 검사, 실험, 화학 요

● 여러 장으로 이어지는 그림을 한 권의 책으로 만든 것.

법 등 다음 단계를 계획했다. 앞으로 받게 될 치료는 더 힘들 것이고, 오래 살 가능성은 더 희박해졌다. 문득 엘리엇의 《황무지》가 생각났다. "하지만 등 뒤에서 찬바람이 몰아치는 중에도 나는 듣는다 / 뼈들이 덜거덕거리고, 입이 귀에 걸리도록 활짝 웃는 소리를." 신경외과 근무는 몇 주 혹은 몇 달, 어쩌면 평생 못할 수도 있다. 하지만 우리는 확실한 사실을 알 수 있는 월요일까지 기다리기로 했다. 오늘은 목요일이었고, 이미 내일 수술 일정까지 잡혀 있었다. 레지던트로서 마지막 날을 그렇게 보낼 계획이었다

다음 날 아침 5시 20분 병원에 차를 세우고 내리면서 나는 숨을 깊이 들이마셨다. 유칼립투스와⋯⋯ 잠깐, 저 나무가 소나무였던가? 전에는 알지 못했다.

나는 아침 회진을 위해 모인 레지던트 팀을 만났다. 우리는 지난밤에 있었던 일, 새로운 입원 환자, 새로운 검사 결과를 검토했다. 환자들을 본 뒤에는 신경외과의들이 정기적으로 모여서 실수나 잘못된 수술들을 점검하는 M&M, 즉 실병이환 및 사망 회의를 열었다. 그 후 나는 몇 분 더 시간을 내서 환자 한 사람을 보러 갔다. R은 내가 뇌종양을 적출한 뒤로, 거스트만 증후군이라는 희귀한 병에 걸려서 글을 쓰지 못하는 것은 물론이고 사 손가락의 이름을 대지도, 계산

을 하지도, 좌우를 구분하지도 못하는 등 여러 가지 장애를 겪었었다. 예전에 이런 사례를 딱 한 번 본 적이 있었다. 8년 전 의과 대학원생 시절에 신경외과에서 처음 만난 환자들 중 한 명이 그런 증상을 보였었다. 그때 그 환자처럼 R도 행복에 겨운 표정을 짓고 있었다. 문득 행복감이 아직까지 알려지지 않은 거스트만 증후군의 고유 증상 중 한 가지가 아닌지 궁금했다. 어쨌든 R의 상태는 호전되고 있었다. 말하기 능력은 거의 정상으로 돌아왔고, 계산 능력은 아주 살짝 떨어졌다. 그는 완전히 회복할 가능성이 컸다.

아침이 지나갔고, 나는 마지막 수술을 하기 위해 손과 팔을 씻었다. 갑자기 이 순간이 장대하게 느껴졌다. 이렇게 손을 씻는 것도 마지막일까? 그럴 수도 있었다. 팔에서 떨어져 배수구로 빨려 들어가는 비누 거품을 나는 멍하니 지켜보았다. 그런 다음 수술실로 들어가 가운을 입은 뒤 환자를 멸균한 천으로 가리며, 천의 모서리가 깔끔하고 확실하게 각이 져 있는지 확인했다. 이 수술을 완벽하게 해내고 싶었다. 나는 환자의 등 아랫부분의 피부를 절개했다. 환자는 퇴행하는 척추로 인해 신경근이 압박을 받아 극심한 통증에 시달리고 있는 노인이었다. 나는 지방을 떼어내 근막을 노출시켰다. 메스를 통해 척추의 끝부분이 느껴졌다. 이어서 근막을 열고 순조롭게 근육을 절개하자, 피가 흐르지 않는 깨끗한 상처 사이로 반짝거리는 넓은 척추뼈가 모습을 드러냈다. 비대해져서 그 아래의 인대와 함께 신경을 압박하고 있던 척추뼈 후반부인 추궁판(lamina)을 제거하기 시작할 즈음에 담당의가 들어왔다.

"잘된 것 같군." 그가 말했다. "오늘 회의에 참석하고 싶다면 그렇게 해. 다른 레지던트를 불러서 마무리하면 되니까."

나는 허리가 슬슬 아파오기 시작했다. 수술 전에 비스테로이드성 소염제를 좀 더 복용했으면 좋았을 것을. 하지만 이 수술은 곧 끝날 것이었다. 거의 마무리 단계였으니까.

"아닙니다. 제가 끝낼게요."

담당의가 손을 씻은 뒤 우리는 함께 추궁판 제거를 마무리했다. 담당의가 인대층에 구멍을 내기 시작했다. 인대 밑에는 경막이 있었고, 그 안에 척수액과 신경근이 있었다. 이 단계에서 가장 흔히 벌어지는 실수는 경막에 구멍을 내는 것이다. 나는 담당의 반대편을 맡았다. 곁눈질로 보니 담당의의 기구 근처에서 푸른빛이 번뜩였다. 경막이 조금 보이기 시작했다.

"조심하세요!" 내 말과 거의 동시에 그의 기구 앞부분이 경막 안으로 살짝 들어갔다. 벌어진 틈 사이로 척수액이 흘러나오기 시작했다. 나는 1년이 넘도록 내 수술에서 척수액을 유출시킨 적이 없었다. 이 부분을 복구하려면 한 시간은 더 필요했다.

"현미경 주세요." 내가 말했다. "척수액이 유출됐어요."

손상된 경막을 복구하고 신경을 압박하던 연조직을 제거했을 때쯤 내 어깨는 불타는 것처럼 아팠다. 담당의는 수술복을 벗고 내게 사과와 감사의 말을 전하며 마무리를 맡기고 떠났다. 수술 부위가 훌륭하게 봉합되었다. 나는 나일론실을 써서 피부를 꿰매기 시작했다. 대부분의 외과의는 스테이플러를 사용하지만 나는 나일론의 감염률이 더 낮다고 확신했고, 이 마지막 봉합을 내 방식대로 할 생각이었다. 피부는 당겨진 부분 없이 완벽하게 붙었다. 마치 어떤 수술도 하지 않은 것처럼.

훌륭했다. 잘된 수술이었다.

환자를 덮은 천을 벗겨냈을 때 이번에 처음으로 함께 일한 수술실 간호사가 내게 말을 걸었다. "이번 주말에 당직이신가요, 선생님?"

"아니요." (아마 앞으로도 그럴 일은 없을 겁니다.)

"오늘 잡혀 있는 수술은 더 없으세요?"

"네." (아마 앞으로도 없을 거예요.)

"어머, 정말 해피엔딩이군요! 일이 정말 끝난 거네요. 전 해피엔딩을 좋아해요. 선생님은요?"

"그럼요. 저도 해피엔딩을 좋아하죠."

나는 간호사들이 수술실을 정리하고 마취과 의사들이 환자를 깨우는 동안 컴퓨터 옆에 앉아 지시 사항을 입력했다. 나는 항상 수술을 맡을 때 모두가 듣고 싶어 하는 신나는 팝송 대신 보사노바(브라질 음악)만 틀겠다고 장난스럽게 위협하곤 했다. 나는 게츠/질베르토 앨범을 틀었고, 부드럽고 듣기 좋은 색소폰 소리가 수술실에 울려 퍼졌다.

잠시 후 나는 수술실에서 나와, 7년 넘게 일하며 쌓인 물건들을 챙기기 시작했다. 집에 들어가지 못하는 날 갈아입으려고 놔둔 옷 몇 벌, 칫솔, 비누, 휴대전화 충전기, 과자, 내 두개골을 본뜬 견본, 신경외과학 도서……. 다시 생각해보니까 책은 남겨두는 게 좋을 것 같았다. 여기에 두는 게 아무래도 더 쓸모가 있을 것 같았다.

주차장으로 가고 있는데 동료 레지던트가 내게 다가와 뭔가 물어보려고 했지만 그의 호출기가 울렸다. 그는 호출기를 보더니 손을 흔들고는 몸을 돌려 병원으로 달려갔다. 그리고 어깨 너머로 이렇게 소리쳤다. "나중에 얘기하자고!"운전석에 앉아 열쇠를 꽂고 시동을 건 뒤 천천히 도로로 나가는 동안 눈물이 차올랐다. 집에 도착하여 현관문을 열고 들어온 나는 흰 코트를 걸어놓고 신분증을 떼어냈다. 그런 다음 호출기에서 배터리를 빼고 수술복을 벗은 뒤 오랜 시간 샤워를 했다.

그날 밤 늦게 빅토리아에게 전화를 걸어 월요일에 못 나간다고, 어쩌면 다시는 복귀하지 못할지도 모른다고, 그러니 수술 일정을 잡지 말라고 부탁했다.

그러자 빅토리아가 말했다. "이런 날이 올까 봐 계속 걱정하고 있었어. 네가 어떻게 지금까지 버텼는지 모르겠어."

루시와 나는 월요일에 에마를 만나러 갔다. 그녀는 우리가 예상했던 계획을 그대로 확정해주었다. 기관지경 생체검사를 해서 투약으로 공격 가능한 변이가 있는지 확인하고, 없으면 화학 요법을 받아야 했다. 하지만 내가 이곳을 찾아온 진짜 이유는 그녀의 인도를 받기 위해서였다. 나는 에마에게 신경외과를 떠나기로 했다고 말했다.

"알겠어요. 그것도 괜찮아요. 더 중요한 일에 집중하고 싶다면 신경외과의를 그만둘 수도 있죠. 하지만 몸이 아프다는 게 이유가 돼서는 안 돼요. 저번 주와 증세는 별 차이가 없어요. 이번 일은 도로에서 장애물을 만난 거라고 생각하면 돼요. 어쨌든 당신은 현재 궤도를 그대로 유지할 수 있어요. 신경외과는 당신한테 중요하니까요."

다시 한 번 나는 의사에서 환자로, 주체에서 객체로, 주어에서 직접 목적어로 돌아왔다. 암 진단을 받기 전까지의 내 삶은 내 선택들이 쭉 이어져온 결과라고 할 수 있었다. 대부분의 현대적 서사에서 한 인물의 운명은 그 자신과 다른 이들의 행동에 의해 결정된다. 《리어 왕》의 글로스터는 인간의 운명이 "제멋대로인 아이들 손에 맡겨진 파리" 같다고 불평하지만, 실제 그 희곡의 극적 구조를 만들어주는 건 리어 왕의 허영심이다. 계몽운동 이후 개인이 무대의 중심을 차지했다. 하지만 이제 나는 인간의 행동이 초자연적인 힘 앞에서 맥을 못 추는, 셰익스피어의 비극보다 그리스 비극과 더 닮은, 오래된 다른 세계에 살고 있었다. 오이디푸스와 그의 부모는 아무리 애를 써도 이미 정해진 운명을 벗어날 수 없으며, 그들의 삶을 좌지우지하는 힘에 접근하려면 신성한 환상을 보는 예언자들을 통하거나 신탁을 받아야 한다. 내가 에마를 보러 온 이유는 치료 계획을 듣기 위해서가 아니었다. 앞으로 받게 될 의학적인 조치는 충분히 잘 알고 있었다.

나는 신탁과도 같은 지혜의 말을 듣고 위안을 얻고 싶었다.

"이게 끝은 아니에요." 에마가 말했다. 분명 그녀는 지금 껏 환자에게 천 번도 넘게 이 말을 했을 것이다. 나 역시 환자에게 비슷한 말을 했었으니까. 불가능한 답을 구하는 환자에게 의사는 늘 이렇게 말한다. "끝의 시작도 아니에요. 그냥 시작의 끝인 거예요."

이것이 끝이 아니라는 에마의 말에 기분이 조금 나아졌다.

생체검사를 받고 나서 한 주 뒤에 임상 간호사인 알렉시스에게서 전화가 왔다. 새롭게 발견된 암은 투약으로 공격 가능한 변이가 아니어서 화학 요법만이 유일한 치료법이고, 치료는 월요일부터 시작된다고 했다. 내가 구체적인 치료제를 물어봤더니 알렉시스는 에마와 얘기해보라고 했다. 에마는 아이들과 함께 타호 호수로 가는 중이지만 주말 중에 내게 연락을 할 거라고 했다.

다음 날인 토요일에 에마가 연락을 해왔다. 나는 화학 요법에 어떤 치료제를 사용할 거냐고 물었다.

"음, 딱히 생각해둔 게 있나요?" 에마가 물었다.

"아바스틴(Avastin)을 포함시키느냐 마느냐가 제일 큰 문제겠죠. 효과는 전혀 없고 부작용이 심하다는 최근의 연구 결과 때문에 일부 암 센터들이 사용하지 않는다는 건 나도 알아요. 하지만 아바스틴 처방을 지지하는 이전 연구들도 많으니까 포함시켰으면 합니다. 부작용이 나타나면 끊으면 되니까요. 제 말이 합당하다고 판단되신다면 말이죠."

"네, 맞는 말이에요. 보험 회사 때문에 나중에 추가하기도 힘드니까 처음부터 쓰는 게 낫겠어요."

"전화해주셔서 감사합니다. 타호 호수에서 즐겁게 보내세요."

"그래요. 한 가지만 더요." 에마가 잠시 멈췄다가 말을 이었다. "우리가 치료 계획을 함께 짜는 것도 정말 좋아요. 당신은 의사라서 병에 관해 너무나 잘 알고 있고, 이건 당신 인생이니까요. 하지만 당신이 내게 의사 역할을 맡긴다면, 나는 그것 역시 기쁘게 받아들일 수 있어요."

내 몸의 치료에 내가 책임을 지지 않는다는 건 꿈에도 생각해본 적이 없었다. 나는 모든 환자가 자기 병의 전문가라고 생각하고 있었다. 아무것도 모르는 풋내기 의학도 시절 자주 환자들에게 그들의 질병과 치료법에 대해, 시퍼레진 발가락과 분홍색 알약에 대해 설명해달라고 부탁하곤 했다. 하지만 의사로서 나는 절대 환자가 혼자 결정을 내리게 하지는 않았다. 나는 환자를 책임질 의무가 있었다. 그리고 나는 내가 그때와 똑같이 하려고 한다는 사실을 깨달았다. 의사인 내가 환자인 나를 책임지려는 것이다. 나는 그리스 신에게 저주받았을지 모르지만, 내 병을 나 몰라라 하는 건 불가능하지는 않더라도 무책임한 일로 여겨졌다.

월요일부터 화학 요법이 시작되었다. 나는 루시, 어머니와 함께 약물 주입 센터로 갔다. 나는 정맥 주사를 꽂은 채 편한 의자에 앉아 기다렸다. 여러 가지를 혼합하여 만든 약을 주입하려면 4시간 반이 걸렸다. 나는 그동안 졸거나, 책을 읽거나, 때로는 멍하니 앞을 바라보았다. 루시와 어머니는 내 옆에 앉아 때때로 잡담을 하면서 정적을 깼다. 같은 방에는 다양한 모습의 다른 환자들이 있었다. 대머리도 보였고, 머리를 멋지게 손질한 사람도 있었다. 축 처진 사람도 있었고, 활기가 넘치는 사람도 있었다. 옷차림이 단정한 사람도 있었고, 지저분한 사람도 있었다. 모든 환자가 쭉 뻗은 팔에 정맥 주사를 꽂은 채 조용히 누워 똑똑 떨어지는 독한 약물을 받아들이고 있었다. 나는 3주마다 이곳에 와서 치료를 받게 될 것이었다.

다음 날 곧바로 효과가 나타나기 시작했다. 아주 피곤했고 온몸이 나른했다. 큰 즐거움이었던 식사는 이제 바닷물을 마시는 일처럼 되어버렸다. 갑자기 내 모든 기쁨에 소금이 뿌려졌다. 아침에 루시가 베이글에 크림치즈를 발라서 줬는데, 마치 소금을 핥는 것 같았다. 나는 베이글을 옆으로 치워버렸다. 책을 읽는 것도 힘들었다. 나는 전에 브이에게 두 권의 두꺼운 신경외과 교재에 내 연구의 잠재적 치료 효과에 대한 글을 몇 장 써주겠다고 약속했었다. 하지만 그 일 역시 제쳐두었다. 며칠이 지나자 텔레비전 시청과 억지 식사가 주요 일과가 되었다. 몇 주 후에는 일정한 생활 패턴이 생겼다. 불쾌감은 차츰 줄었고, 다음 번 약물 주사를 맞을 때가 되자 몸은 정상적인 상태로 돌아왔다.

이런 과정이 계속 되풀이되었다. 나는 사소한 합병증으로 병원을 드나들었고 복직은 꿈도 못 꾸게 되었다. 신경외과는 내가 레지던트 과정 수료에 필요한 전국적·지역적 기준을 모두 충족시켰다고 판단했다. 수료식은 토요일이었다. 루시의 출산 예정일로부터 2주 전쯤이었다.

수료식 날이 왔다. 침실에 서서 7년 레지던트 생활의 정점인 수료식에 참석하기 위해 옷을 차려입고 있는데 갑자기 지독한 메스꺼움이 몰려왔다. 화학 요법을 받느라 평소에 파도처럼 왔다가 사라지는, 그래서 견디는 데에도 익숙해진 메스꺼움과는 전혀 달랐다. 나는 감당할 수 없을 정도로 녹색 담즙을 토하기 시작했고, 그 분필 같은 맛은 위산과 확연히 달랐다. 그건 내장 깊숙한 곳에서 나온 것이었다.

결국 나는 수료식에 참석하지 못했다.

탈수증을 피하려면 정맥 주사를 맞아야 했기 때문에 루시는 나를 황급히 응급실로 데려갔다. 수분이 보충되기 시작하고 구토는 멈췄지만 대신 설사가 시작되었다. 나는 레지던트인 브래드와 유쾌하게 대화를 나누면서, 내 병력과 처방받고 있는 약들에 관해 말했다. 우리는 분자 표적 치료의 발전, 특히 내가 복용 중인 타세바에 관해서도 이야기를 나누었다. 치료 계획은 간단했다. 내가 입으로 물을 마실 수 있을 때까지 정맥 주사를 통해 수분을 공급하는 것이었다. 그날 밤, 나는 입원하여 병실에 누워 있었다. 간호사가 내 처방전 목록을 검토할 때, 나는 타세바가 없다는 걸 알아챘다. 나는 그녀에게 실수를 바로잡게 레지던트를 불러달라고 했다. 종종 벌어지는 일이었다. 게다가 나는 많은 약을 복용하고 있으니 일일이 다 챙기는 건 쉬운 일이 아니었다.

자정이 훌쩍 넘어서야 브래드가 내 병실로 왔다.

"처방에 문제가 있다고 하셨다면서요?" 그가 물었다.

"맞아요. 타세바가 빠져 있더군요. 다시 넣어주시겠어요?"

"아, 그건 빼기로 했어요."

"왜요?"

"그걸 복용하기엔 간 효소 수치가 너무 높아서요."

나는 혼란에 빠졌다. 간 효소 수치는 이미 몇 달 전부터 높았다. 이게 문제라면 왜 전에는 아무런 얘기가 없었던 말인가? 여하튼 이건 명백한 실수였다. "에마 선생님 아시죠? 제 담당의이자 당신의 상사이기도 하죠. 그분도 이 수치를 잘 알지만 타세바를 계속 복용해도 된다고 하셨어요."

레지던트들은 담당의의 지시 없이 의학적인 판단을 해야 하고, 이건 일상적으로 벌어지는 일이었다. 하지만 지금은 에마의 소견이 있으니 당연히 그는 거기에 따라야 했다.

"하지만 위장에 문제가 생길 수 있어요."

나는 더 혼란스러워졌다. 보통 담당의 처방을 내세우면 논의는 거기서 끝이 난다. "1년 동안 복용했지만 아무 문제가 없었어요. 그렇다면 당신은 화학 요법이 아니라 타세바 때문에 갑자기 이 난리가 난 거라고 생각하는 건가요?"

"네, 그럴 수도 있죠."

혼란스러웠던 감정은 분노로 바뀌었다. 의과 대학원을 졸업한 지 2년밖에 안 된 내 후배 레지던트 또래의 풋내기가 지금 나랑 논쟁이라도 벌이자는 건가? 옳은 말을 한다면야

참아줄 수 있지만, 지금 그는 전혀 말도 안 되는 소리를 하고 있었다. "음, 내가 아까 오후에 타세바가 없으면 뼈에서 전이가 일어나서 엄청나게 아프다고 말하지 않았던가요? 과장이 아니라, 예전에 권투하다 뼈가 부러진 적이 있는데 그것보다 훨씬 더 아파요. 비명을 안 지르고는 못 배길 정도로 심한 통증이에요."

"약의 반감기를 생각할 때 하루 정도 지나면 그런 통증은 사라질 겁니다."

나는 브래드의 눈을 바라보았다. 그의 눈에 나는 환자가 아니라 요주의 인물이었다.

"저기요." 브래드가 말했다. "당신이 의사가 아니라면 이런 얘기를 하고 있을 필요도 없겠죠. 타세바는 제외할 겁니다. 그래야 통증의 원인이 그 약이라는 걸 알게 될 테니까요."

오후의 그 유쾌했던 대화는 대체 어디로 사라진 걸까? 의과 대학원생 시절에 있었던 일이 문득 생각났다. 한 환자가 내게 말하기를, 의사를 만나러 갈 때 항상 가장 비싼 양말을 신는다고 했다. 신발도 못 신고 환자복만 걸치고 있으니 양말이라도 제대로 된 걸 신어야 의사가 자기를 중요한 사람으로 인식하고 존중해준다는 것이었다. 정말 그게 문제인 건가? 몇 년 동안 훔쳐 써왔던 병원 지급 양말을 신고 있는 세?

"여하튼 타세바는 특별한 약이라 연구원이나 담당의의 승인이 있어야 해요. 제가 이것 때문에 누군가를 깨워야겠습니까? 아침까지 기다려주실 수 없어요?"

바로 그게 문제였다.

내 요구를 들어준다는 건 그가 해야 할 일이 하나 더 늘어난다는 뜻이었다. 그것도 난처하게 상사에게 전화를 걸어 자신의 실수를 인정해야 하는 것이다. 야간 근무 중인 그로서는 내키지 않은 일이었을 것이다. 레지던트 교육 과정은 대다수 프로그램이 교대 근무를 채택하도록 강제하고 있다. 교대 근무를 하다 보면 책임을 다른 레지던트에게 은근히 떠넘겨버리는 교활한 요령도 배우게 된다. 몇 시간 더 뒤로 미룰 수 있다면 그건 다른 사람의 책임이 된다.

"나는 오전 다섯 시에 그 약을 먹습니다." 내가 말했다. "아침까지 기다리라는 말은 아침 회진 후에 다른 누군가가 처리해줄 거라는 뜻이지요? 그렇다면 나는 오후나 돼서야 그 약을 먹겠군요. 내 말이 틀렸나요?"

"네, 알겠습니다."

브래드는 이렇게 말한 뒤 병실을 나갔다.

하지만 아침이 되었을 때 나는 그가 아무런 조치도 취하지 않았다는 걸 알게 되었다.

에마는 인사차 잠시 들러, 타세바 문제는 잘 처리했으니 걱정하지 말라고 했다. 그리고 빨리 회복하길 바란다는 말과 함께, 한 주 동안 병원을 비울 것 같다면서 미안하다고 사과했다. 그날 하루 나는 몸 상태가 더 나빠졌고, 설사도 급속도로 심해졌다. 수분 보충을 받았지만, 뒤늦은 조치였는지 신장이 제 역할을 하지 못했다. 입이 너무 말라서 말을 할 수도, 뭔가를 삼킬 수도 없었다. 검사를 받아보니 내 혈청 나트륨 수치가 거의 치사 수준이었다. 나는 중환자실로 옮겨졌다. 연구개(Soft palate)와 인두(Pharynx)의 일부가 탈수로 망가져 입 밖으로 비어져 나왔다. 나는 고통스러웠고 정신이 오락가락했다. 그러는 사이에 중환자 전문 치료사, 신장병 전문의, 위장병 전문의, 내분비 전문의, 전염병 전문의, 신경외과의, 일반 종양학 전문의, 흉부 종양학 전문의, 이비인후과 전문의 등 여러 전문의들이 모여 나를 돕고 있었다. 임신 38주 차인 루시는 낮에는 내 곁을 지키고, 밤에는 중환자실에서 몇 걸음 떨어진, 내가 예전에 사용하던 대기실로 살짝 들어가 내 상태를 계속 주시했다. 루시와 아버지는 다정한 목소리로 나를 도와주고 있었다.

나는 의식이 뚜렷할 땐 불협화음을 내는 여러 목소리들을 날카롭게 의식했다. 의학에서는 이를 WICOS(Who Is the Captain Of the Ship: 이 배의 선장은 누구인가?) 문제라고 한다. 신장병 전문의와 중환자 전문 치료사와 종양학 전문의와 위장병 전문의가 제각기 다른 의견을 냈다. 나는 내 치료에 책임감을 느꼈다. 그래서 의식이 있는 동안에는 루시의 도움을 받아 내 병에 관한 순차적인 세부 사항을 기록하여, 모든 의사들이 객관적 사실에 근거하여 판단할 수 있도록 도와주려고 했다. 나중에 절반쯤 잠든 상태에서, 아버지와 루시가 각각의 의사들과 내 상태에 관해 의논하는 소리가 희미하게 들렸다. 우리는 화학 요법 효과가 사라질 때까지 수액 치료가 주가 되어야 한다고 생각했다. 하지만 전문의들은 저마다 희박한 가능성을 고집하면서, 불필요하고 경솔해 보이는 검사와 치료를 주장하기도 했다. 견본을 채취한 뒤 정밀 검사 지시가 떨어지고 치료약이 성해졌다. 나는 내 주위에서 벌어지는 사건들과 시간을 따라가기가 점점 더 힘들었다. 치료 계획을 설명해달라고 요구하면서도 말이 제대로 나오지 않았고 목소리는 약하게 웅얼거렸다. 내가 조리 있게 말하지 못하고 횡설수설하면 의사들의 목소리가 어두워졌다. 에마가 책임자로 여기에 있으면 얼마나 좋을까.

어느 날 갑자기 에마가 내 앞에 나타났다.

"벌써 돌아오셨나요?" 내가 물었다.

"당신은 중환자실에 한 주 넘게 있었어요." 에마가 말했다. "하지만 걱정하지 말아요. 점점 좋아지고 있어요. 대부분의 수치가 정상으로 돌아왔어요. 곧 퇴원하게 될 거예요." 이야기를 들어보니 에마는 출장 중에도 이메일로 의사들과 연락을 주고받은 모양이었다.

"전에 당신은 의사, 나는 환자 역할을 충실히 하는 게 어떻겠느냐고 하셨죠?" 내가 말했다. "그것도 좋은 생각인 것 같아요. 올바른 답을 찾으려고 과학책과 문학책들을 읽어봤는데, 아직도 못 찾았어요."

"책을 읽는다고 찾을 수 있는 답은 아닐 거예요." 에마가 대답했다.

지금 내가 탄 배의 선장은 에마였고, 그녀는 내 입원 뒤 일어난 온갖 혼란을 평온하게 가라앉히고 있었다. 엘리엇의 글귀가 다시 떠올랐다.

담야타: 배는
돛과 노를 능숙하게 다루는 손에
즐겁게 응했다.

잔잔한 바다에서 능숙한 손에

초대를 받았다면 그대 마음 또한

즐겁게 응했으리라.[*]

나는 병상에 등을 기대고 누워 눈을 감았다. 정신이 혼미
해지고 다시 어둠이 찾아왔지만 이윽고 마음의 긴장이 풀리
고 편안해졌다.

루시의 분만 예정일은 아무런 진통 없이 지나갔고, 내 퇴
원 일정도 드디어 잡혔다. 암 진단을 받은 뒤로 체중이 18킬
로그램 이상 줄었고, 지난주에만 7킬로그램이 빠졌다. 그래
서 중학교 2학년 때와 같은 몸무게가 되고 말았다. 머리카락
역시 숱이 엄청나게 줄었다. 특히 지난달에 유독 많이 빠졌
다. 나는 다시 깨어나 세상을 민감하게 의식하게 되었지만,
형편없이 시들어버렸다. 피골이 상접해서 마치 살아있는 엑
스레이 사진 같았다. 고개를 드는 것조차 힘이 들었다. 물 잔

하나 들어 올릴 때도 양손을 써야 했다. 독서는 아예 생각도 못했다.

나와 루시의 부모님들이 우리를 도와주러 오셨다. 퇴원하고 이틀이 지났을 때 루시는 처음으로 진통을 느꼈다. 어머니가 나를 에마에게 태워다주는 동안 루시는 집에 남았다.

"좌절하셨나요?" 에마가 물었다.

"아니요."

"그렇게 될 거예요. 회복하려면 오래 걸리니까요."

"뭐, 인정할게요. 크게 보면 좌절한 게 맞아요. 하지만 하루하루 다시 물리 치료를 받고 조금씩 회복하는 걸 받아들일 준비가 되어 있어요. 한 번 해봤으니 별거 아니겠죠?"

"저번 촬영 결과는 봤어요?" 에마가 물었다.

"아니요, 이젠 안 챙겨 봐요."

"결과는 좋아요. 예전 상태 그대로 유지되고 있는 것 같아요. 어쩌면 조금 줄었을 수도 있고요."

우리는 앞으로의 일을 의논했다. 체력이 더 나아질 때까지 화학 요법은 보류하기로 했다. 현재 상태로는 실험적인 시도는 피하는 것이 좋았다. 어느 정도 체력을 회복할 때까지 항암 치료는 어려웠다. 나는 축 늘어지는 목 근육을 받치기 위해 벽에 머리를 기댔다. 머리가 복잡해서 생각이 잘 정리되지 않았다. 새나 별자리표에서, 혹은 돌연변이 유전자나 카플란 마이어 곡선에서 비밀을 뽑아내어 수정점을 저줄 예언자가 필요했다.

"에마, 다음엔 뭘 해야 하죠?"

"더 힘을 내세요. 그게 중요해요."

"하지만 암이 재발하면, 그러니까, 확률이……" 나는 여기까지 말하고는 멈췄다. 첫 번째 치료인 타세바 투약은 실패로 돌아갔다. 두 번째 치료인 화학 요법을 시도했다가 나는 거의 죽다 살아났다. 세 번째 치료는, 만약 내가 살아남아 그 치료를 받는다 해도 성공 가능성이 그리 크지 않았다. 알려지지 않은 수많은 실험적인 치료법들이 있었다. 회의적인 말들이 내 입에서 흘러나왔다. "그러니까, 수술실로 복직하거나, 다시 걸을 수 있게 될지도 모르죠, 아니면……."

"당신에게는 아직 5년이라는 시간이 남았어요." 에마가 말했다.

하지만 그녀의 말은 권위 넘치는 신탁의 말투도 아니었고, 진정으로 믿는 사람의 확신 같은 것도 묻어나지 않았다. 그녀는 내게 호소하듯이 말했다. 뇌를 다쳐서 오로지 숫자로만 말할 수 있었던 환자처럼. 에마는 내게 말을 하고 있다기보다, 이런 일을 진정으로 통제하는 힘을 가진 존재에 호소하고 있었다. 그녀 역시 한 인간에 불과했다. 그녀와 나는 근엄한 분위기에서 의사와 환자의 관계로 있을 때도 있었지만, 지금 이 순간에는 평범한 두 사람에 지나지 않았다. 심연에 직면하여 한없이 위축된 한 사람과 그를 바라보는 또 한 사람.

결국 의사도 희망이 필요한 존재였다.

에마에게 진료를 받고 집으로 돌아가는 중에 장모님에게서 전화가 왔다. 루시가 진통 중이라 병원에 가고 있다는 것이었다. (나는 루시에게 "여보, 일찌감치 경막외 마취 해달라고 해"라고 말했다. 그녀는 이미 많이 고생했으니 그런 조치가 필요했다.) 나는 곧장 병원으로 돌아갔고, 아버지는 내 휠체어를 밀어주었다. 나는 추워서 떨릴까 봐 해골 같은 내 몸을 보온팩과 담요로 감싸고 분만실의 간이침대에 누워 있었다. 이후 두 시간 동안 나는 루시와 간호사가 분만 의식을 치르는 모습을 지켜보았다. 진통이 오면 간호사는 힘을 주라고 하면서 숫자를 셌다. "자, 하나, 둘, 셋, 넷, 다섯, 여섯, 일곱, 여덟, 아홉, 열!"

루시는 내 쪽으로 얼굴을 돌리며 웃었다. "운동하는 것 같아!"

나는 간이침대에 누워 루시에게 미소 지으며 아내의 배가 부풀어오르는 걸 지켜봤다. 앞으로 루시와 내 딸의 삶에는 많은 것들이 부재(不在)할 것이다. 내가 아내와 딸 옆에 지금처럼만 존재할 수 있다 해도 나는 담담히 받아들이겠다.

자정이 지나고 간호사가 나를 살짝 찔러서 깨웠다. "거의 다 됐어요." 그녀가 이렇게 속삭이고는 이불을 치운 뒤 나를 부축하여 루시 옆의 의자에 앉혔다. 내 또래처럼 보이는 산부인과 전문의가 이미 분만실에 들어와 있었다. 간호사는 아이의 머리가 밖으로 나오자 나를 보며 말했다. "먼저 한 가지 말씀드리자면, 따님은 선생님과 머리 색깔이 같네요. 숱도 많고요." 나는 고개를 끄덕이며 분만의 마지막 단계를 치르고 있는 루시의 손을 잡았다. 그리고 루시가 마지막으로 힘을 한 번 주자, 7월 4일 새벽 2시 11분에 우리 아기가 세상에 나왔다. 이름은 엘리자베스 아카디아, 줄여서 케이디였다. 우리는 몇 달 전에 이름을 미리 지어놓았다.

"아버님, 따님을 한번 안아보시겠어요?" 간호사가 내게 물었다.

"글쎄요, 내 몸이 너무 차가워서." 이가 딱딱 부딪치는 소리가 났다. "그래도 인아보고 싶어요."

그들은 내 딸을 이불로 감싸서 내게 건네주었다. 한쪽 팔로 아이의 무게를 느끼고 다른 팔로 루시의 손을 잡고 있으니 삶의 가능성이 우리 앞에 펼쳐지는 듯했다. 내 몸의 암세포는 여전히 죽어가거나 아니면 다시 자라고 있을 것이다. 내 앞에 펼쳐진 넓은 지평선에서 나는 공허한 황무지가 아니라 그보다 더 단순한 어떤 것을 보았다. 그것은 내가 계속 글을 써내려가야 할 빈 페이지였다.

그래도 우리 집에는 활기가 넘친다.

하루가 다르게, 한 주가 다르게 케이디는 성장하고 있다. 처음으로 뭔가를 움켜잡고, 처음으로 미소 짓고, 처음으로 웃음을 터뜨린다. 케이디를 담당하는 소아과 의사는 정기적으로 차트에 딸아이의 성장을 기록하고, 시간 경과에 따라 챙겨야 하는 사항들을 확인한다. 케이디의 주위에는 새로운 기운이 환하게 빛난다. 케이디가 내 무릎에 앉아 형편없는 내 노래 솜씨에도 좋아하면서 미소를 지을 때면, 온 집안이 환해지는 기분이다.

시간은 이제 나에게 양날의 검과도 같다. 지난번에 병세가 악화되어 심하게 축난 몸 상태는 점점 나아지고 있지만 얼마 지나지 않아 다시 암이 재발하게 될 테고, 그러다 결국 죽음에 이를 것이다. 죽음은 예상보다 느리게 올지도 모르지만, 원하는 것보다는 분명 빠르게 닥쳐올 것이다. 이런 자각에 대해 두 가지 반응이 있을 수 있다. 가장 명백한 반응은 정신없이 움직이려는 충동일 것이다. 즉, 여행도 하고, 근사한 식사도 하고, 여태껏 접어둔 많은 소망을 성취하면서 '삶을 만끽하는' 것이다. 하지만 암은 무자비하게도 시간뿐만 아니라 기력까지 빼앗아버려 하루에 할 수 있는 일의 양이 크게 줄었다. 마치 경주하다가 지친 토끼가 된 것 같은 기분이다. 설사 기력이 있더라도 나는 거북이의 방식이 더 마음에 든다. 뚜벅뚜벅 앞으로 나아가고 깊이 명상하는 방식 말이다. 물론 그냥 어떻게든 버티는 날들도 있다.

빠르게 움직이는 사람의 시간이 팽창한다면, 잘 움직이지 않는 사람의 시간은 수축될까? 분명 그렇다. 내가 보내는 하루는 엄청나게 짧아졌다.

오늘과 내일을 거의 구분할 수 없게 되자, 시간이 정지된 것처럼 느껴지기 시작했다. 영어에서 우리는 시간(time)이라는 단어를 서로 다른 방식으로 사용한다. "지금 시각(time)은 두 시 사십오 분이다."라고 말할 수도 있고, "나는 힘든 시간(time)을 보내고 있다."라고 말할 수도 있다. 요즘에는 전자보다는 후자처럼 느껴진다. 나는 무기력해졌고, 더 너그러워진 것 같다. 수술대 위의 환자에 집중하던 외과의 시절에, 시곗바늘이 제멋대로 움직인다는 생각은 했었지만 의미 없다는 생각은 단 한 번도 해본 적이 없다. 지금이 몇 시인지, 오늘이 무슨 요일인지 이제는 아무런 의미가 없다. 의료 훈련은 철저하게 미래 지향적이며, 나중의 큰 보상을 위해 현재의 유혹을 참는 능력이 무엇보다 중요하다.

사람들은 5년 후에 뭘 하고 있을까 늘 생각한다. 하지만 나는 5년 후에 내가 뭘 하고 있을지 알 수 없다. 죽을 수도 있고, 그렇지 않을 수도 있다. 건강할 수도 있다. 글을 쓰고 있을지도 모른다. 어떻게 될지는 정말 모르는 일이다. 그러니 점심 식사 이후의 미래를 생각하는 건 시간 낭비다.

동사의 시제 역시 뒤죽박죽이 됐다. "나는 신경외과 의사이다.", "나는 신경외과 의사였다.", "나는 이전에 신경외과 의사였고 앞으로 다시 의사가 될 것이다." 이 중에 대체 어떤 것이 맞을까? 그레이엄 그린은 인생은 첫 20년까지이고 나머지 시간은 그 20년을 회고하며 보내는 법이라고 했다. 그렇다면 나는 지금 어느 시제에 살고 있는가? 현재 시제를 넘어 과거 완료 시제로 들어섰나? 미래 시제는 공허해 보이고 다른 사람들이 입에 올리면 귀에 거슬린다. 몇 달 전, 졸엄 15주년 스탠퍼드 동문 모임에 나갔다. 분홍빛 해가 지평선 아래로 질 때 나는 대학교 안뜰에 서서 위스키를 마셨다. 동창들이 자리를 뜨면서 "25주년 모임에서 또 보자!"라고 말했을 때, "글쎄, 아마 힘들지 않을까."라고 답하는 건 무례한 짓 같았다.

모든 사람이 유한성에 굴복한다. 이런 과거 완료 상태에 도달한 건 나뿐만이 아니리라. 대부분의 야망은 성취되거나 버려졌다. 어느 쪽이든 그 야망은 과거의 것이다. 미래는 이제 인생의 목표를 향해 놓은 사다리가 아니라 끊임없이 지속되는 현재가 되어버렸다. 돈, 지위, 〈전도서〉의 설교자가 설명한 그 모든 허영이 시시해 보인다. 바람을 좇는 것과 같으니 말이다.

하지만 절대 미래를 빼앗기지 않을 한 가지가 있다. 우리 딸 케이디. 나는 케이디가 내 얼굴을 기억할 정도까지는 살 수 있었으면 좋겠다. 내 목숨은 사라지겠지만 글은 그렇지 않다. 케이디에게 편지를 남길까 하는 생각도 했었지만, 대체 뭐라고 써야 할까? 케이디가 열다섯 살이 되었을 때 어떤 모습일지 나는 알 수가 없다. 우리가 지어준 별명이 딸아이 마음에 들지도 알 수 없다. 미래가 창창한 이 아이는, 기적이 벌어지지 않는 한 과거만 남아 있는 나와 아주 짧은 시간을 함께 보낼 것이다. 이 아이에게 내가 해줄 수 있는 말은 단 하나뿐이다.

그 메시지는 간단하다.

네가 어떻게 살아왔는지, 무슨 일을 했는지, 세상에 어떤 의미 있는 일을 했는지 설명해야 하는 순간이 온다면, 바라건대 네가 죽어가는 아빠의 나날을 충만한 기쁨으로 채워줬음을 빼놓지 말았으면 좋겠구나. 아빠가 평생 느껴보지 못한 기쁨이었고, 그로 인해 아빠는 이제 더 많은 것을 바라지 않고 만족하며 편히 쉴 수 있게 되었단다. 지금 이 순간, 그건 내게 정말로 엄청난 일이란다.

Epilogue
—
루시 칼라니티

당신은 제게 두 가지 아름다운 유산을 남기셨습니다.
하늘에 계신 아버지도 뜻하셨다면
만족하실 그런 사랑의 유산을.

당신은 바다처럼 광대한
고통을 남기셨습니다.
영원과 시간 사이에,
당신의 의식과 나 사이에.

────
에밀리 디킨슨

2015년 3월 9일 월요일, 폴은 가족들이 지켜보는 가운데 병원 침대에서 숨을 거두었다. 8개월 전 우리 딸 케이디가 태어난 분만 병동에서 200미터도 채 떨어지지 않은 곳이었다. 누군가는 케이디가 태어나고 폴이 숨을 거둔 그 사이에 동네 바비큐 식당에서 우리 식구를 보았을 것이다. 그곳에서 검은 머리에 긴 속눈썹을 가진 아기가 유모차에 탄 채 졸고 있는 동안, 맥주 한 잔을 나눠 마시고 갈비를 뜯으며 서로에게 미소 짓던 우리 부부를 본 사람은 폴이 앞으로 살 날이 1년도 채 남기 않았다는 걸, 또 우리가 그 사실을 알고 있다는 걸 꿈에도 생각하지 못했을 것이다.

케이디가 태어난 지 다섯 달이 되어 처음으로 크리스마스를 맞이하던 즈음, 타세바와 화학 요법이 더 이상 효과가 없어 복용하게 된 3차 치료제 역시 폴에게 듣지 않게 되었다. 케이디는 크리스마스 연휴 동안 처음으로 단단한 음식을 먹어보려고 했다. 지팡이 모양의 사탕처럼 빨간색과 흰색 줄무늬가 그려진 잠옷을 입고 케이디는 으깬 얌(yam)을 잇몸으로 씹었다. 우리 가족은 폴이 어린 시절을 보낸 애리조나 주 킹맨의 집에 모여 촛불을 환하게 켜놓고 이야기를 나누었다. 폴의 기력은 몇 달 전부터 쇠약해졌지만, 우리는 슬픔 속에서도 기쁜 순간을 누리려고 애썼다. 아늑한 디너 파티를 열고, 서로를 안아주고, 케이디의 반짝이는 눈과 조용한 기질을 칭찬하며 기뻐했다. 폴은 양털 이불을 몸에 두르고 안락의자에 비스듬히 기댄 채 글을 썼다. 마지막 몇 달 동안 그는 이 책을 마무리하는 데 온 힘을 기울였다.

겨울이 지나 봄에 접어들어 우리 동네의 별목련이 화사한 분홍색으로 피어났을 때쯤 폴의 건강은 급속도로 나빠졌다. 2월 말 즈음 그는 편안하게 숨을 쉬려면 별도로 산소 공급을 받아야 했다. 나는 폴이 손도 대지 않은 점심과 저녁을 쓰레기통에 버리는 일이 잦아졌다. 폴은 내가 아침식사로 만들어주던 샌드위치(롤빵에 달걀, 소시지, 치즈를 얹은 샌드위치)를 참 좋아했었지만, 식욕이 떨어지면서 달걀과 토스트로 식단을 바꿨다가 그냥 날걀만 먹더니 나중에는 그것마저도 제대로 못 먹는 상태기 되어버렸다. 꾸준한 열량 공급원이 되어준 좋아하던 스무디*도 먹지 못했다.

폴이 잠자리에 드는 시간은 점점 더 빨라졌고, 발음도 종종 불분명했으며, 끊임없이 토악질을 했다. CT 촬영과 뇌 MRI 결과를 보니, 폐암은 더 심해졌고 뇌에도 새로운 종양이 자라나 있었다. 새로 생긴 뇌종양 중에는 연수막 암종증(leptomeningeal carcinomatosis)도 있었는데, 드물고 치명적인 침윤이어서 예후가 몇 달밖에 되지 않는 데다 빠른 속도로 신경계를 쇠약하게 만들었다. 이 소식을 듣고 폴은 큰 충격을 받았다. 말은 거의 없었지만, 신경외과의였던 그는 앞으로 무슨 일이 벌어질지 잘 알고 있었다. 얼마 안 되는 기대 수명은 받아들일 수 있어도 신경계가 쇠약해진다는 건 폴에게 크나큰 재앙이었다. 삶의 의미와 사고 기능을 잃을 가능성 때문이었다. 폴의 최우선 과제는 맑은 정신을 최대한 오래 유지하는 것이었고, 우리는 폴의 담당 종양학 전문

---

* 과일, 우유, 요구르트, 아이스크림 등을 섞은 음료

의를 찾아가 꼼꼼하게 계획을 세웠다. 우선 임상 시험을 받을 준비를 마치고, 신경 종양학 전문의와 상담했으며, 폴이 남은 시간을 최대한 잘 보낼 수 있도록 완화치료*팀을 찾아가 호스피스 병동 입원 문제를 의논했다. 마음을 단단히 먹고 있는데도 폴이 힘들 것을 생각하면 속이 탔다. 그에게 남은 시간이 고작 몇 주밖에 되지 않을까 봐 두려웠다. 폴의 손을 잡고 있으면 그의 장례식 광경이 머릿속에 떠올랐다. 아무리 그렇더라도 폴이 며칠 후에 그렇게 떠나버릴 줄은 몰랐다.

폴은 마지막 토요일을 가족과 함께 아늑한 거실에서 보냈다. 그는 안락의자에 기댄 채 케이디를 데리고 놀았고, 시아버지는 내가 케이디에게 젖을 먹일 때 쓰는 흔들의자에, 시어머니와 나는 근처의 소파에 앉았다. 폴은 무릎 위에 앉힌 케이디에게 노래를 불러주며 살살 흔들어댔다. 케이디는 아빠의 콧속으로 산소를 넣어주는 관을 의식하지 못한 채 활짝 웃고 있었다. 폴의 세계는 더욱 작아졌다. 가족이 아닌 손님은 돌려보내는 내게 폴은 이렇게 말했다. "만나지는 못해도 내가 사랑한다는 건 다들 알아줬으면 좋겠어. 나는 그

● 　암에 의한 통증이나 고생을 부드럽게 하는 처치법.

친구들의 우정이 소중해. 그리고 아드벡* 한 잔 더 마신다고 해도 내 마음은 변치 않을 거야." 폴은 그날 글을 쓰지 못했다. 이 책의 원고는 일부민 마친 상태였고, 폴은 책 한 권을 완성하지 못하리라는 걸 알았다. 거기에 필요한 체력, 정신, 시간 모두 부족했다.

임상 시험을 준비하기 위해 폴은 매일 복용했지만 잘 듣지 않았던 표적 치료제를 끊었다. 약을 끊고 나면 불이 확 타오르듯 암이 급속도로 자랄 위험이 있었다. 그래서 폴의 담당의는 내게 매일 그의 모습을 영상으로 녹화해 보내달라고 했다. 언어 능력이나 걸음걸이에 문제가 생기지 않았는지 확인하기 위해서였다. 폴은 토요일에 내가 녹화하는 동안 엘리엇의《황무지》를 꺼내 거실에서 크게 읽었다. "4월은 가장 잔인한 달, 추억과 욕망을 뒤섞고 봄비로 생기 없는 뿌리를 자극한다." 숙제도 아닌데 폴이 책을 무릎에 엎어놓고 열심히 암송하는 모습을 보느는 가족들이 빙긋 웃었다.

"정말 저 애답구나." 시어머니가 미소 지으며 말했다.

다음 날인 일요일, 우리는 평온한 주말이 계속되길 바랐다. 폴의 상태가 좋으면 교회에 다녀온 뒤 케이디와 케이디

• 싱글몰트 위스키의 일종으로 아주 쓴 맛이 난다.

의 사촌을 데리고 언덕 위 공원으로 가서 유아용 그네를 태울 생각이었다. 그러면서 최근의 고통스러운 소식을 담담히 받아들이고, 슬픔을 나누며, 함께 하는 시간을 소중히 여길 생각이었다.

하지만 시간은 우리를 기다려주지 않았다.

일요일 아침 일찍 폴의 이마에 손을 대봤더니 불덩이 같았다. 열을 재보니 40도나 됐다. 하지만 다른 새로운 증상은 없었고 비교적 편안해 보였다. 나는 폴의 아버지와 형과 함께 그를 응급실로 데려갔고, 폐렴일 경우에 대비하여(폴의 흉부 엑스레이는 종양이 뒤덮고 있어 감염 상태가 안 보일 수도 있었다.) 항생제를 처방받은 뒤 몇 시간 만에 다시 집으로 돌아왔다. 만약 폐렴이 아니라 암이 급속도로 진행되고 있는 거라면 어쩌지? 폴은 오후에 편안하게 조는 것처럼 보였지만 실은 아주 심각하게 아팠다. 그가 잠든 모습을 보고 있자니 눈물이 나기 시작했다. 조용히 거실로 나오니 시아버지도 눈물을 닦고 있었다. 나는 벌써부터 그가 그리웠다.

일요일 저녁, 폴의 상태가 돌연 나빠졌다. 그는 침대 가장자리에 앉아서 숨을 쉬려고 안간힘을 쓰고 있었다. 기겁할 만한 변화였다. 나는 구급차를 불렀다. 폴은 이번엔 들것에 실려 응급실로 들어갔다. 내 뒤에는 시부모님이 있었다. 폴은 내게 얼굴을 돌려 힘없는 목소리로 말했다. "이렇게 가나 봐."

"내가 당신 곁에 있어." 내가 말했다.

늘 그랬듯 의료진은 폴을 따뜻하게 맞았지만, 그의 상태를 보자마자 발빠르게 움직였다. 첫 검사를 마친 뒤 그들은 폴이 바이팝(BiPAP)을 통해 호흡할 수 있게 그의 코와 입에 마스크를 씌웠다. 바이팝은 환자가 숨을 들이쉴 때 강한 공기 흐름을 만들어 환자 대신에 호흡 과정의 대부분을 처리해주는 호흡 유지 장치다. 호흡에 도움이 되긴 하지만, 환자에게 부담이 될 수도 있다. 시끄럽고 강력한 이 장치는 한 번의 호흡마다 환자의 입술을 차창 밖으로 머리를 내민 개의 입술처럼 뒤집어놓았다. 그 장치가 꾸준히 쉭쉭 소리를 내는 동안, 나는 폴에게 가까이 붙어 몸을 숙여서 그의 손을 잡았다.

폴의 혈중 이산화탄소 농도는 치명적으로 높았다. 호흡하는 일조차 그에겐 너무나 힘든 것이었다. 혈액 검사 결과에 따르면, 최근 폐암이 심해지고 몸이 더 쇠약해지면서 과도한 이산화탄소가 혈액에 누적되었다. 그의 뇌가 정상보다 높은 이산화탄소 농도에 익숙해졌기에 그렇게 맑은 정신으로 버틸 수 있었던 것이다. 폴은 의사답게 불길한 검사 결과

를 금방 알아보았다. 나 역시 그랬다. 폴은 들것에 실려 중환
자실로 이동했다. 예전에 그가 맡았던 많은 환자들이 신경
외과 수술을 받기 전이나 후에 병과 힘겹게 싸웠던 곳이었
다. 환자들의 가족은 병상 곁에 모여 플라스틱 의자에 앉아
있었을 것이다. "삽관이 필요할까?" 중환자실에 도착하자
폴은 바이팝으로 호흡하며 내게 물었다. "꼭 그래야 할까?"

그 밤 내내 폴은 의사들과 가족, 그리고 나와 그 문제를
의논했다. 자정 무렵, 오랫동안 폴의 조언자 역할을 해줬던
중환자 담당의가 치료 방법을 가족과 의논하러 왔다. 그는
바이팝은 미봉책이라고 했다. 유일하게 선택할 수 있는 시
술은 목에 삽관하여 인공호흡을 시키는 것이었다. 과연 폴
은 그것을 원할까?

이제 우리에게 근본적인 의문이 제기되었다. 이런 갑작스
러운 호흡 부전에서 원상회복될 수 있을까?

폴의 병세가 심각하여 인공호흡 장치를 떼어낼 수 없으
면 그 다음엔 어떻게 해야 할지가 큰 문제였다. 정신착란과
장기 부전이 차례로 들이닥쳐 정신에 이어 신체까지 무너진
다면? 의사인 우리는 이런 고통스러운 시나리오를 예전부터
목격해왔다. 폴은 대안을 검토하더니 결단을 내렸다. 죽음이
더 확실히 그리고 더 빠르게 찾아오겠지만, 삽관 대신 안락

치료*를 선택하겠다는 것이었다. 폴은 뇌에 있는 암을 생각하며 이렇게 말했다. "이번에 어떻게 잘 버틴다 해도, 앞으로 의미 있는 시간을 보낼 수 있을지는 확신할 수 없어." 그러자 시어머니가 절박한 표정으로 폴의 말을 끊었다. "얘야, 오늘 밤 당장 결정할 필요는 없잖니. 다들 나가서 좀 쉬자." 폴은 소생 치료 거부 의사(Do not Resuscitate, DNR)를 확실히 밝힌 뒤 어머니의 말에 동의했다. 인정 많은 간호사들이 폴에게 담요를 더 가져다줬다. 나는 형광등을 껐다.

폴은 용케도 해가 뜰 때까지 잠을 잤다. 시아버지는 밤새도록 그의 곁을 지켰고, 나는 근처 휴게실에서 잠깐 눈을 붙였다. 다가올 하루가 내 인생에서 가장 힘든 날이 되리라는 걸 알기에 정신을 똑바로 차리고 싶었다. 새벽 6시에 나는 폴의 병실로 살그머니 들어갔다. 불은 아직 희미하게 켜져 있었고, 모니터들에서 이따금 소리가 들렸다. 내가 다가가자 폴은 눈을 떴다. 우리는 안락치료에 대해 다시 이야기를 나누었다. "집으로 돌아갈 수 있을까?"라는 말이 입 밖으로 나왔다. 폴의 병세가 너무 심각했기 때문에 나는 집으로 가는 도중에 그가 고통 받다 죽지 않을까 두려웠다. 하지만 정 집

---

* comfort care, 연명을 위한 공격적인 소치를 거부하는 것.

에 가고 싶다면 그를 집에 데려가기 위해 최선을 다하겠다고 말했고, 안락치료로 방향을 잡자는 그의 말에도 고개를 끄덕였다. 귀가가 안 될 경우 어떻게든 병실을 집처럼 만들어볼 생각이었다. 바이팝으로 힘겹게 숨을 쉬며 그가 말했다. "케이디."

우리 친구 빅토리아가 집에서 케이디를 데려왔다. 케이디는 폴의 오른쪽 팔꿈치 안쪽에 기분 좋게 앉아 자기의 작은 양말을 잡아당기고 병원 이불을 두들기면서 웃고 옹알이를 했다. 그 아이는 폴을 숨 쉬게 해주는 바이팝 장치가 쉭쉭 소리를 내는 것도 전혀 개의치 않았다. 케이디는 자기도 모르게 아빠에게 힘이 되어주고 있었다.

폴의 가족과 나는 회진차 들른 의료진과 중환자실 밖에서 폴의 치료에 관해 이야기를 나누었다. 폴의 급성 호흡 부전은 암이 급속도로 악화된 탓이었다. 그의 혈중 이산화탄소 농도는 계속 상승 중이었다. 호흡을 유지하려면 삽관은 피할 수 없었다. 폴의 가족은 의견이 갈렸다. 폴의 담당 종양학 전문의는 전화를 걸어 급성 호흡 부전이 앞으로 호전될지도 모른다는 희망적인 말을 했지만, 현장의 의사들은 그보다는 덜 낙관적이었다. 나는 갑작스럽게 악화된 폴의 상태가 회복될 가능성이 있는지 최대한 확실하게 알려달라고 의사들에게 부탁했다.

"폴은 성공 가능성이 확실하지 않은 시도는 바라지 않아요." 내가 말했다. "의미 있는 시간을 보낼 가망이 없다면, 마스크를 벗고 케이디를 안고 싶어 해요."

나는 폴의 침대 곁으로 돌아갔다. 바이팝 마스크의 콧대 위로 그의 검은 눈이 나를 바라보고 있었다. 그리고 폴은 부드럽지만 확고한 목소리로 분명하게 말했다. "난 준비됐어."

바이팝을 떼고 모르핀을 맞으며 생을 마무리할 준비가 되었다는 뜻이었다.

곧 우리 가족은 병상 주변으로 모였다. 폴이 결정을 내린 직후의 이 소중한 순간에 우리 모두는 그에게 사랑과 존경을 표했다. 폴의 눈에 눈물이 고였다. 그는 부모님께 감사하다고 말했다. 그리고 어떤 형태로든 원고가 출판되었으면 좋겠다고 했다. 마지막으로 폴은 내게 사랑한다고 말했다. 담당의는 폴에게 힘이 되는 말을 해주었다. "폴, 당신이 숨을 거둔 뒤에 가족 분들은 힘들겠지만, 당신이 보여준 용기 있는 모습을 떠올리면서 빨리 이겨내실 겁니다." 폴의 형 수만이 "이제 편히 가, 내 동생" 하고 남편에게 말하는 동안 동생 지반은 폴의 얼굴만 계속 바라보고 있었다. 나는 가슴이 미어져 침대로 올라갔다. 그렇게 우리는 마지막으로 함께 누웠다.

나는 예전에 우리 부부가 함께 누웠던 순간들을 떠올렸다. 8년 전 의과 대학원생이었던 우리는 내 할아버지 옆에 있는 침대에 지금처럼 함께 누워 잠들었다. 할아버지는 집에서 임종을 맞이할 준비를 하고 있었고, 우리는 신혼여행을 단축하고 돌아와 할아버지를 간병했다. 우리는 몇 시간마다 깨어나 할아버지에게 약을 투여했다. 그때마다 폴은 몸을 숙여 할아버지의 상태를 살펴보고 할아버지의 말씀을 가까이서 귀담아들었다. 그런 모습을 보며 폴에 대한 내 사랑은 점점 더 깊어졌다. 우리는 이렇게 가까운 미래에 폴의 임종이 다가올 거라고는 상상조차 하지 못했다. 22개월 전, 폴이 암 진단을 받았을 때 지금 이 병원 건물의 다른 층에 있는 침대에서 우리는 부둥켜안고 울었다. 8개월 전, 케이디가 태어난 다음 날 나는 내 병원 침대에서 폴과 껴안고 오랜만에 편안하고 긴 잠을 잤다. 집에 텅 빈 채로 남아 있는 우리의 안락한 침대를 생각하니, 12년 전 뉴헤이븐에서 서로 사랑에 빠졌을 때가 기억났다. 우리의 몸이 어찌나 서로에게 잘 들어맞는지 깜짝 놀랐었다. 그때부터 우리는 둘이서 몸을 휘감고 있을 때 가장 편안하게 잤다. 나는 이제 폴이 내 품에서 예전처럼 편안하게 위로받기를 간절히 바랐다.

한 시간 뒤, 마스크가 제거되고 모니터가 치워졌다. 이젠 모르핀이 정맥 주사를 통해 폴의 몸속으로 흘러 들어가고 있었다. 그는 꾸준하지만 얕게 호흡했고, 편안한 모습이었다. 하지만 나는 모르핀이 더 필요한지 물었고, 폴은 고개를 끄덕이며 눈을 감았다. 시어머니가 병상 가까이에 앉아 있었고, 시아버지는 폴의 이마에 손을 올려놓고 있었다. 그렇게 폴은 의식을 잃었다.

아홉 시간 넘게 우리 가족(폴의 부모님, 형제들, 동생의 아내, 딸, 그리고 나)은 그의 곁을 지켰다. 의식을 잃은 폴은 눈꺼풀을 닫은 채 드물게 숨을 쉬었다. 마침내 모든 짐을 내려놓은 듯한 표정이었다. 폴의 긴 손가락은 내 손가락에 부드럽게 놓여 있었다. 시부모님은 케이디를 어른 다음, 손녀가 기분 좋게 누워서 젖을 먹고 잠들 수 있도록 다시 침대에 뉘었다. 사랑으로 가득한 병실은 지난 세월 우리가 함께 보낸 휴일이나 주말과 별다를 바 없는 모습이었다. 나는 폴의 머리를 어루만지며 조용히 말했다. "당신은 정말 용감한 팔라딘(내가 그를 부르는 애칭)*이야." 그리고 나는 그의 귀에 가까이 다가가서 우리가 지난 몇 달 동안 함께 지은 시를 나지막하게

---

* 샤를마뉴 대제의 전설적인 열부 용사 중 한 사람.

읊었다. 그 시의 핵심은 '나를 사랑해줘서 고마워.'였다. 가까운 친척들이 왔고, 뒤를 이어 목사도 왔다. 우리 가족은 사랑스러운 일화들을 나누고 우리끼리만 아는 농담을 주고받았다. 그러다 우리는 모두 돌아가며 눈물을 흘리면서 폴과 서로의 얼굴을 걱정스럽게 살폈다. 그렇게 우리는 이 소중한 시간의 고통과 위안을 함께 나누면서 마지막 순간을 보내고 있었다.

북서쪽으로 난 병실의 창을 통해 따뜻한 저녁 햇살이 비칠 때쯤 폴의 숨소리는 더 조용해졌다. 케이디는 잘 시간이 다가오자 통통한 손으로 눈을 비볐고, 가족의 지인이 케이디를 집으로 데려다줬다. 나는 그 전에 케이디의 뺨을 폴의 뺨에 가져다 댔다. 부녀의 검은 머리카락이 비슷하게 삐뚜름히 기울어졌다. 폴의 얼굴은 평온했고, 케이디는 약간 놀랐지만 얌전히 있었다. 폴이 그토록 사랑한 이 아이는 이것이 마지막 작별의 순간이라는 걸 전혀 모르고 있었다. 나는 케이디가 잠들 때 불러주는 노래를 폴과 케이디 모두에게 조용히 불러준 다음 케이디를 지인에게 부탁했다.

밤이 되어 병실이 어두워지자, 낮게 달린 등이 벽에서 따뜻하게 빛났다. 폴의 호흡은 불안정하고 불규칙하게 변했다. 그럼에도 그의 몸은 편안해 보였고, 팔다리도 긴장이 풀린 것 같았다. 9시 직전, 폴의 입술이 벌어지고 눈이 감겼다. 폴은 숨을 들이마시고는 마지막으로 깊은 숨을 내쉬었다.

《숨결이 바람 될 때》는 폴의 병세가 급격히 악화되는 바람에 계획대로 진행되지 못했기 때문에 어떤 의미로는 미완성 작품이라 할 수 있다. 하지만 미완성이야말로 이 책이 말하고자 하는 진실, 폴이 직면한 현실의 본질적인 요소이다. 삶의 마지막 몇 해 동안 폴은 목적의식을 잃지 않고 또 움직이는 시곗바늘에 자극받으며 쉼 없이 글을 썼다. 신경외과의 최고참 레지던트였던 시절에는 자정이 넘은 시간까지 열정적으로 글을 썼다. 내 옆에 누워 노트북을 조용히 두드리던 그의 모습이 아직도 눈에 선하다. 나중에는 안락의자에 앉아서 노트북으로 글을 쓰며 오후를 보냈다. 진료를 받으려고 대기실에서 기다리는 동안에도 글을 썼고, 화학 요법을 받으며 약물이 혈관으로 떨어지는 와중에도 편집자에게서 전화가 오면 주저없이 받았다. 언제 어디서든 항상 은색 노트북을 손에서 놓지 않았다. 화학 요법 때문에 손가락 끝이 갈라져서 아플 때에도 솔기가 없고 가장자리가 은색으로 된 장갑을 끼고 노트북의 트랙패드와 키보드를 만졌다. 점점 악화되는 암으로 살인적인 피로를 느끼면서도 완화치료를 받는 동안 그가 제일 신경 썼던 건 집필에 필요한 정신력의 유지였다. 그는 어떻게든 글을 쓰겠다는 의지가 굳건했다.

이 책에는 모자란 시간과 싸우는 절박함, 중요한 얘기를 꼭 전하고자 하는 절박함이 담겨 있다. 폴은 의사이자 환자로서 죽음과 대면했고, 또 그것을 분석하고, 그것과 씨름하며, 그것을 받아들였다. 그는 사람들이 죽음을 이해하고 언젠가 죽을 수밖에 없는 운명을 정면으로 마주할 수 있도록 돕고 싶어 했다. 삼십 대에 죽는 건 이제 드문 일이지만, 죽음 그 자체는 드문 일이 아니다. "폐암에 대한 중요한 사실은 그게 결코 특별한 일이 아니라는 거야." 폴은 제일 친한 친구인 로빈에게 보내는 이메일에서 이렇게 말했다. "그냥 충분히 비극적이고, 충분히 상상할 수 있는 일이지. 독자들은 잠깐 내 입장이 되어보고 이렇게 말할 수 있을 거야. '그런 처지가 되면 이런 기분이구나……. 조만간 나도 저런 입장이 되겠지.' 내 목표는 바로 그 정도라고 생각해. 죽음을 선정적으로 그리려는 것도 아니고, 할 수 있을 때 인생을 즐기라고 훈계하려는 것도 아니야. 그저 우리가 걸어가는 이 길 앞에 무엇이 있는지 보여주고 싶을 뿐이지." 물론 폴은 그저 죽음을 묘사하는 데 그치지 않았다. 죽음을 용감하게 헤쳐 나갔다.

죽음을 정면으로 바라보기로 한 폴의 결정은 더할 나위 없이 용감했지만, 죽음을 기피하는 우리 문화에서는 그리 칭송받지 못한다. 큰 야망과 부단한 노력과 더불어 모질지 않은 부드러움 또한 폴의 강점이다. 그는 어떻게 하면 의미 있는 인생을 살 수 있을까 하는 문제와 오랜 시간 씨름했고 이 책은 그 본질적인 영역을 탐구하고 있다. 에미슨은 이런 글을 남겼다. "보는 자가 언제나 말하는 자이다. 그의 꿈은 어떻게든 말로 표현되며, 그는 장엄한 환희 속에 그 꿈을 널리 알린다." 용감한 보는 자 폴은 이 책을 쓰면서 말하는 자가 되었고, 우리에게 진실한 마음으로 죽음을 대면하라고 가르쳐주었다.

이 책이 출판되고 나면 가족과 친구들은 폴의 레지던트 기간이 끝나갈 즈음 우리 결혼 생활에 위기가 닥쳤다는 사실을 알게 될 것이다. 하지만 나는 폴이 그 일을 글로 남겨서 기쁘다. 그것은 우리 진실의 일부이고, 우리가 관계를 재정립하게 된 계기이며, 폴과 나 우리 둘 인생의 고난과 구원, 의미를 보여주는 한 조각이기 때문이다. 암 진단이라는 충격적인 일을 겪으면서 우리는 예전의 부드럽고 만족스러운 결혼 생활로 돌아갈 수 있었다. 폴의 육체적인 생존과 우리의 감정적인 생존을 위해 우리는 서로를 꼭 붙잡았고, 그러면서 우리의 깊은 사랑이 있는 그대로 드러났다. 우리는 가까운 친구들에게 결혼 생활을 지키는 비결은 한 사람이 불치병에 걸리는 거라고 농담을 하기도 했다. 역으로 말하자면, 불치병을 헤쳐 나가는 방법은 서로 깊이 사랑하는 것이다. 자신의 나약한 모습을 보여주고, 서로에게 친절하고 너그럽게 대하며, 감사의 마음을 품어야 한다. 암 진단을 받고 몇 달 뒤, 우리는 교회 신도석에 나란히 서서 〈종의 노래〉라는 찬송가를 불렀다. 불확실성과 고통에 함께 맞서고 있던 우리에게 찬송가의 가사는 큰 의미로 다가왔다. "나는 기쁨과 슬픔을 그대와 나누리라, 이 여정이 끝나는 걸 볼 때까지."

암 진단을 받은 직후 내게 자신이 죽으면 재혼하라고 했던 폴의 말은, 투병하는 내내 나의 미래를 안전하게 보장하기 위해 그가 얼마나 열심히 애쓸 것인지 미리 보여주는 예고편이었다. 내가 재정적인 면에서나 경력 면에서 곤란을 겪지 않고 엄마로서 제 역할을 다할 수 있도록 폴은 철저하게 대비했다. 동시에 나 역시 그의 현재를 지켜주기 위해 노력했다. 그가 남은 시간을 최대한 잘 보내도록 돕고 싶었다. 폴의 증상이나 치료와 관련된 모든 부분을 추적하고 관리한 것은 내 인생에서 의사로서 수행한 일 중 가장 중요한 것이었다. 나는 그의 포부를 지지하고, 안전하고 어둑한 우리만의 침실에서 그를 끌어안은 채 그가 나직이 속삭이는 두려움을 귀 기울이며 들어주었다. 그를 지켜보고, 인정하고, 받아들이고, 위로했다. 손을 잡은 채 수업을 듣곤 했던 의과 대학원 시절만큼이나 우리는 서로 떨어질 수 없는 사이가 되었다. 화학 요법을 받은 뒤 병원 밖에서 걸어다닐 때면 나는 그의 외투 호주머니에 손을 넣어서 그의 손을 잡았다. 날씨가 따뜻해진 후에도 폴은 겨울 외투와 모자를 벗지 못하고 손을 주머니에 깊숙이 찔러 넣고 있었다. 그는 자신이 결코 혼자가 아니며, 불필요한 고통을 겪을 일도 없으리라는 걸 알았다. 남편이 숨을 거두기 몇 주 전, 함께 침대에 누워서 내가 그에게 물었다. "이렇게 내가 당신 가슴에 머리를 대고 있어도 숨 쉴 수 있어?" 그러자 그는 대답했다. "이게 내가 숨을 쉴 수 있는 유일한 방법이야." 폴과 내가 서로의 삶에 깊은 의미가 될 수 있었던 건 정말 큰 행운이었다.

우리는 폴의 가족에게서 큰 힘을 얻었다. 그들은 우리가 투병 생활을 견딜 때 기운을 북돋워주었고, 아이를 가지겠다는 우리의 뜻을 지지해주었다. 시부모님은 아들이 중병에 걸렸다는 사실을 알고 크게 상심하셨으면서도 흔들림 없이 우리를 위로하고 안심시켜주었다. 두 분은 근처 아파트를 임대해 놓고 자주 우리를 방문했다. 시아버지는 폴의 발을 문질러 따뜻하게 해주었고, 시어머니는 폴에게 인도식 도사*와 코코넛 처트니**를 만들어주었다. 폴은 요통을 덜기 위해 다리를 받친 채로 형제들인 수만, 지반과 함께 소파에 앉아 축구 경기의 '법칙'을 논했다. 지반의 아내인 에밀리와 나는 그들을 보며 웃었고, 그러는 동안 케이디와 그녀의 사촌들인 이브와 제임스는 낮잠을 즐겼다. 이런 오후엔 우리 집 거실은 작고 안전한 마을 같았다. 좀 더 나중에 폴은 바로 그 거실에서 태블릿 체어***에 케이디를 데리고 앉아 로버트 프로스트, 엘리엇, 비트겐슈타인의 책을 소리 내어 읽곤 했다. 그리고 나는 그 모습을 사진으로 남겼다. 이런 소박한 순간에 신의 은총과 아름다움, 그리고 심지어는 행운(이 상황에서도 이런 개념이 존재한다고 말할 수 있다면)까지 넘쳐나는 것 같았다. 이런 가족, 공동체, 기회가 있다는 것에, 우리 딸이 있다는 것에, 또 절대적인 신뢰와 수용이 필요한 때에 서로를 만났다는 것에 우리는 크게 감사하면서 운이 좋다고 생각했다. 비록 지난 몇 년은 고통스럽고 힘들었지만(때로는 정말

- 크레페처럼 넓고 얇게 부친 인도의 빵.
- ● 과일이나 채소에 향신료를 넣어 만든 인도의 소스.
- ●●● 오른쪽 팔걸이가 필기용 받침이 되는 의자.

견딜 수가 없었지만), 내 인생에서 가장 아름답고 충만한 시기이기도 했다. 매일 삶과 죽음, 즐거움과 고통의 균형을 힘겹게 맞추며, 감사와 사랑의 새로운 깊이를 탐구한 시기였다.

폴은 자신의 강인함과 가족 및 공동체의 응원에 힘입어 암의 여러 단계에 우아한 자세로 맞섰다. 그는 암을 극복하거나 물리치겠다고 허세를 부리거나 허황된 믿음에 휘둘리지 않고, 성실하게 대처했다. 그래서 미리 계획해둔 미래를 잃고 슬픈 와중에도 새로운 미래를 구축할 수 있었다.

폴은 암 진단을 받은 날 소리 내어 울었다. 그는 우리가 욕실 거울에 길이둔 그림을 보면서 울었다. 그 그림에는 '내게 남은 모든 날을 이곳에서 당신과 함께 보내고 싶어.'라고 적혀 있었다. 그는 수술실에서 보낸 마지막 날에도 울었다. 폴은 자신의 약한 모습을 솔직하게 보여줬고, 그럼으로써 스스로를 위로했다. 불치병에 걸렸어도 폴은 온전히 살아 있었다. 육체적으로 무너지고 있었음에도, 활기차고 솔직하고 희망에 가득 차 있었다. 그가 희망한 것은 가능성 없는 완치가 아니라, 목적과 의미로 가득한 날들이었다.

《숨결이 바람 될 때》에서 폴의 목소리는 강하고 독특하며, 조금은 쓸쓸한 느낌이다. 이 책에는 그를 둘러싼 사랑, 온정, 관내힘, 인성이 담겨 있다 우리는 시간과 공간에 따라 서로 다른 자아로 살아간다. 이 책에서 폴은 의사이기도 하고 환자이기도 하며, 의사 겸 환자 관계 속에 놓여 있기도 하다. 그는 한정된 시간 속에서 부단히 노력하는 사람만이 가진 명료한 목소리로 말하지만, 다른 자아들도 존재했다. 아쉽게도 이 책에는 폴의 유머 감각(그는 정말 재미있는 사람이다), 상냥함, 다정함, 그가 가족이나 친구와의 관계를 얼마나 소중히 여겼는지가 온전히 담겨 있지는 않다. 그래도 이것은 폴이 직접 쓴 책이다. 그 시기에 그가 낸 목소리이며, 그가 전하고자 한 메시지이다. 이것이 바로 그가 쓰려고 했던 글이다. 내게 가장 그리운 폴은 연애하기 시작했을 때의 팔팔하고 눈부셨던 그 남자가 아니다. 뭔가에 집중하는 아름다운 남자였던 투병 말기의 폴, 이 책을 쓴 폴, 병약하지만 결코 나약하지 않았던 그 남자가 그립다.

폴은 이 책을 자랑스럽게 여겼다. 이 책은 문학에 대한 그의 사랑(그는 내게 성경보다 시에서 더 위안을 얻는다고 말한 적이 있다)이 맺은 결실이다. 또한 죽음에 직면하여 설득력 있고 강력한 인생의 이야기를 만들어내는 그의 능력을 유감없이 보여준다. 2013년 5월에 가장 친한 친구에게 이메일로 말기 암에 걸렸다는 소식을 전하면서 폴은 이렇게 썼다. "그나마 좋은 소식이라면 내가 이미 브론테 자매나 키츠, 스티

븐 크레인보다는 더 오래 살았다는 거지. 나쁜 소식은 내가
아무것도 쓰지 못했다는 거고." 그 후로 폴은 변화의 여정을
걸었다. 그는 의사라는 열정적인 사명에서 벗어나 다른 사
명을 갖게 되었고, 남편에서 아버지가 되었으며, 물론 마지
막에는 삶에서 죽음으로 나아갔다. (이는 결국 우리 모두가 겪
게 될 변화이다.) 나는 폴의 이 여정을 처음부터 끝까지 함께
했다는 것이 자랑스럽다. 그가 책을 쓸 때에도 곁에 있을 수
있어서 다행이다. 폴은 글을 쓰면서 희망을 품을 수 있었고,
그 덕분인지 마치 섬세한 연금술이라도 부리는 것처럼 마지
막까지 유려하게 글을 써내려갔다.

　폴은 버드나무 관에 누워 산타크루즈 산맥에 있는 들판
에 묻혔다. 그곳에서는 우리가 산책과 해산물 파티, 생일 기
념 칵테일을 함께 즐기며 추억을 쌓았던 해안 지대와 그 너
머 펼쳐진 태평양이 보인다. 두 달 전 1월의 따뜻한 주말에
우리는 케이디의 통통한 발을 저 아래 바닷물에 담가주기도
했다. 폴은 사후 그의 몸을 어떻게 처리할 것이냐에 대해서
는 우리에게 결정을 맡겼다. 나는 우리가 좋은 선택을 했다
고 믿는다. 폴의 누님은 9킬로미터 정도 뻗은 산의 푸른 능

선 위에서 서쪽으로 바다를 바라보고 있다. 주변의 언덕들은 들풀, 침엽수, 노란 등대풀로 뒤덮여 있다. 앉아 있으면 바람 소리, 새가 지저귀는 소리, 얼룩다람쥐가 허둥지둥 뛰어가는 소리가 들린다. 그는 자신에게 딱 맞는 곳에서 영면하고 있다. 폴의 묘지는 투박하면서도 우아해서 평소 그의 성품과도 아주 잘 어울린다. 또한 우리 모두가 나중에 묻히고 싶어 할 만한 그런 곳이다. 내 할아버지가 좋아하셨던 기도문의 한 문장이 떠오른다. "우리는 서서히 걸음을 옮겨 영원한 산의 정상에 오르리라. 그곳의 바람은 시원하고, 풍경은 장엄하리라."

하지만 이곳이 늘 안락하기만 한 것은 아니었다. 날씨가 종잡을 수 없다. 폴은 산바람이 불어오는 쪽에 묻혔기 때문에 그를 찾아갈 때면 땡볕을 쐬거나, 짙은 안개를 헤치고 나가거나, 몸을 따갑게 찌르는 차가운 비를 맞아야 했다. 그곳은 평온하면서도 불편하고, 친밀하면서도 쓸쓸하다. 마치 죽음과 슬픔처럼. 하지만 이 모든 것에는 아름다움이 깃들어 있다. 그래서 나는 이것이 좋고 또 옳다고 생각한다.

나는 우리가 신혼여행을 갔던 곳에서 생산되는 와인인 작은 마데이라 와인 한 병을 들고 자주 남편의 무덤을 찾아간다. 그럴 때마다 폴을 위해 풀에다가 와인을 조금 부어준다. 폴의 부모님과 형제들이 함께 있으면 나는 풀들이 마치 남편의 머리카락인 양 쓰다듬으며 말한다. 케이디는 낮잠을 자기 전에 아빠의 무덤에 찾아가 담요 위에 누워서 하늘에 떠다니는 구름을 구경하거나 무덤가에 놔둔 꽃을 가지고 논다. 폴의 추도식 전날 저녁에 우리의 형제자매들과 나는 폴의 절친한 옛 친구들 스무 명을 모았고, 나는 무덤 주변의 잔디가 망가지는 건 아닌지 잠깐 걱정하기도 했었다. 남편을 추억하느라 무덤 주변에 위스키를 너무 많이 부었기 때문이다.

무덤가에 튤립, 백합, 카네이션 같은 꽃을 두고 왔다가 나중에 다시 가보면 사슴이 꽃을 먹어치운 경우가 많았다. 꽃이 유용하게 쓰이고 있다는 증거이고, 폴도 분명 마음에 들어 할 것이다. 벌레들이 재빠르게 땅을 뒤집고 자연이 계속 변화하는 걸 보면 폴이 일찍이 깨달았고 나 역시 뼛속 깊이 실감하고 있는 사실이 떠오른다. 생과 사는 떼어내려고 해도 뗄 수 없으며, 그럼에도, 혹은 그 때문에 우리는 어려움을 극복하고 인생의 의미를 찾아낼 수 있다. 폴에게 벌어진 일은 비극적이었지만, 폴은 비극이 아니었다.

나는 폴이 세상을 떠나면 내 인생에는 오로지 공허와 슬픔만 남을 줄 알았다. 누군가가 세상을 떠난 뒤에도 똑같이 그 사람을 사랑할 수 있을 거라고는, 또 끔찍한 슬픔과 비통함의 무게를 못 이겨 때로 몸을 떨며 한탄하면서도 여전히 큰 사랑과 감사를 계속 느낄 수 있을 거라고는 미처 생각하지 못했다. 폴은 세상을 떠났고 나는 거의 매순간 그가 사무치게 그립지만, 우리가 여전히 함께 만든 인생을 살아가고 있는 느낌을 받는다. C. S. 루이스는 이렇게 말한다. "사별은 부부애의 중단이 아니라, 신혼여행처럼 그 정상적인 과정 중 하나이다. 우리가 바라는 건 결혼 생활을 잘 영위하여 이 과정도 충실하게 헤쳐나가는 것이다." 우리 딸을 돌보고, 가족과의 관계를 돈독히 하고, 이 책을 출판하고, 의미 있는 일을 하고, 폴의 무덤을 찾아가고, 폴을 애도하면서도 그에게 경의를 보내고, 꿋꿋이 버텨나가고……. 이렇게 내 사랑은 내가 전혀 예상치 못한 방식으로 계속 이어지고 있다.

폴이 의사이자 환자로서 살았고 죽음도 맞았던 병원을 볼 때마다, 그가 살았더라면 신경외과 의사이자 신경과학자로 훌륭한 업적을 남겼을 거라는 생각을 한다. 폴은 삶의 가장 위험한 순간에 처한 수많은 환자들과 그 가족들에게 도움이 되었을 것이다. 그것이 애초에 폴이 신경외과에 끌렸던 이유이기도 하다. 그는 훌륭한 성품에 생각이 깊은 사람이었고, 죽지 않았다면 여전히 그랬을 것이다. 그 대신에 폴은 이 책을 통해 새로운 방식으로 남들을 도우려 했고, 이는 그만이 남길 수 있는 업적이다. 이 책이 출판된다고 해서 그의 죽음이 준 상실감이 덜어지지는 않는다. 하지만 그는 있는 힘을 다해 싸우는 데에서 의미를 발견했고, 이 책에도 그렇게 썼다. "우리는 결코 완벽에 도달할 수는 없지만 거리가 한없이 0에 가까워지는 접근선처럼 우리가 완벽을 향해 끝없이 다가가고 있다는 것은 믿을 수 있다." 고되고 힘들었지만, 그는 절대 흔들리지 않았다. 그것이 폴에게 주어진 삶이었고, 그는 그 삶으로부터 이 책을 써냈다. 그래서 《숨결이 바람 될 때》는 지금 이대로 완결된 작품이다.

폴이 세상을 떠나고 이틀 뒤 나는 일기장에다 케이디에게 보내는 편지를 썼다. "누군가 세상을 떠나면 사람들은 그 사람을 좋게 이야기하는 경향이 있어. 하지만 사람들이 지금 아빠를 칭찬하는 말들은 전부 사실이란다. 아빠는 정말 그렇게 훌륭하고 용감한 사람이었어." 폴의 목적의식을 되돌아볼 때면, 종종 《천로역정》에 나오는 찬송가의 가사가 생각난다. "진정한 용기를 보려는 자가 있다면 / 이리로 오게 하라 / 그러면 환상은 사라지고 / 그는 사람들이 하는 말을 두려워하지 않을 것이다. / 그는 밤낮을 가리지 않고 노력하여 / 순례자가 되고자 할 것이다." 죽음을 정면으로 바라보겠다는 폴의 결단은 삶의 마지막 순간에 그가 어떤 사람이 었는지 증명할 뿐만 아니라, 그의 인생 자체가 어떠했는지 를 보여주는 증거이다. 폴은 평생 죽음에 대해, 그리고 자신 이 죽음을 진실하게 마주할 수 있을지에 대해 깊이 고민했 다. 결국 그는 그 일을 해냈다.

　나는 그의 아내이자 목격자였다.

에이브러햄 버기즈*

나는 이 글을 추천의 글보다는 후기로 생각하고 싶다. 폴 칼라니티에 관해서라면 모든 시간 감각이 뒤집혀버리기 때문이다. 가장 중요한 사실은 내가 폴을 그의 사후에야 알게 되었다는 것이다. 그가 세상을 떠난 후에야 그를 진정으로 알게 되었다는 의미이다.

---

* 1955년 에티오피아에서 인도인 교사의 아들로 태어났다. 현재 스탠퍼드 의과 대학원 교수로 재직중이며, 소설과 에세이 작가로도 활약하고 있다. 에티오피아의 현대사를 배경으로 운명에 맞서 싸우는 한 가족의 대서사시를 다룬 《눈물의 아이들 (Cutting for Stone)》은 2년 넘게 〈뉴욕타임스〉 베스트셀러 자리를 지켰고, 전 세계 30개국에 번역 출간되었다.

2014년 2월 초의 어느 날 오후, 나는 스탠퍼드 대학교에서 폴을 만났다. 참으로 잊지 못할 날이었다. 그는 "내가 살아갈 날은 얼마나 남았는가?(How Long Have I Got Left?)"라는 제목의 에세이를 〈뉴욕타임스〉에 특집 칼럼으로 막 발표한 참이었다. 그의 글은 어마어마한 반응을 불러왔고, 많은 이들에게 회자되었다. (내가 전염병 전문의인지라 '바이러스처럼 퍼졌다'라는 표현은 쓰지 못하는 점을 양해해주기 바란다.) 얼마 후 그는 나를 만나고 싶다고 연락했다. 이야기도 나누고, 저작권 대리인, 편집, 출판 절차 등에 관해 조언을 구하고 싶다고 했다. 그는 책을 쓰고 싶어 했다. 여러분이 지금 손에 들고 있는 바로 이 책이다. 바깥의 목련 나무 사이로 스며든 햇빛이 사무실을 비추던 광경이 떠오른다. 폴은 나를 마주 보고 앉아 있었다. 미동도 하지 않는 그의 아름다운 두 손, 마치 예언자처럼 풍성한 수염, 나를 뚫어보는 듯한 검은 두 눈. 내 기억 속에서 그 광경은 마치 페르메이르의 그림처럼, 혹은 암실에 흘러든 선명한 빛처럼 남아 있다. '지금 이 순간을 반드시 기억해야 해.'라고 생각했던 기억이 난다. 내 망막에 비치는 그 광경이 무척이나 소중했기 때문이다. 그리고 암 선고를 받은 폴과 함께 있자니 그의 운명뿐만 아니라 나 자신의 운명까지 실감이 났다.

그날 오후, 우리는 많은 이야기를 나누었다. 그는 신경외과 최고참 레지던트였으니 언젠가 나와 마주쳤을지도 모를 일이었지만, 우리가 함께 기억하고 있는 환자는 없었다. 그는 스탠퍼드 대학 학부에서 영문학과 생물학을 전공했으며, 영문학으로 석사 학위를 받았다고 했다. 그리고 평생 글을 쓰고 읽는 것을 좋아했다는 얘기도 했다. 나는 만약 그가 마음만 먹었으면 쉽게 영문학 교수가 될 수 있었을 거라는 생각이 들었고, 실제로 그도 그 길을 염두에 둔 적이 있었던 모양이었다. 하지만 그와 이름이 같은 사도 바울(Paul)이 다마스쿠스로 가는 길에 그랬던 것처럼 그 역시 자신의 소명을 깨달아 영문학 교수 대신 의사가 되었다. 하지만 늘 어떤 형태로든 문학으로 되돌아가기를 꿈꾸었고, 언젠가는 책을 쓰겠다는 희망을 품고 있었다. 그는 시간이 충분하다고 생각했다. 왜 그러지 않았겠는가? 그러나 이제 시간이야말로 그에게 정말 부족한 것이 되고 말았다.

나는 점잖으면서도 약간 장난기 어린 그의 미소를 기억한다. 하지만 그의 얼굴은 수척하고 초췌했다. 그는 암 때문에 힘든 시간을 보냈지만, 새로운 생물학적 요법의 효과가 좋아 앞날을 조금은 내다볼 수 있게 되었다. 그는 의과 대학원에 다닐 때 자신이 정신과 의사가 될 거라고 생각했지만 점점 신경외과에 매료되었다고 말했다. 뇌의 복잡성에 반하고 놀라운 솜씨를 발휘하기 위해 손을 훈련시키는 것이 즐거웠지만, 그보다는 고통 받는 환자들, 그들이 견뎌야 하는 것, 또 자신이 그들에게 해줄 수 있는 일을 사랑하고 거기에 공감을 느꼈다. 그의 이런 자질에 대하여 그보다 더 열심히 내게 이야기해준 사람은 그의 조수였던 내 제자들이었다. 폴은 자신의 직업에 깃든 도덕적 차원을 철저히 신봉했다. 그리고 우리는 그에게 다가오고 있는 죽음에 대해서도 이야기를 나누었다.

그 만남 후 우리는 이메일로 계속 연락을 주고받았지만 다시 만나지는 못했다. 나는 마감 기한과 이런저런 책무들에 치여 정신없이 바쁘기도 했지만 그의 남은 시간을 존중해줘야 한다는 생각이 들었기 때문이다. 나와 다시 만날지 말지는 그가 결정할 문제였다. 나는 새로운 친분을 점검하는 차원으로 이런저런 일들을 의무감으로 하는 건 폴이 절대 원하지 않을 거라고 느꼈다. 그렇지만 그와 그의 아내가 자주 생각났다. 글을 계속 쓰고 있느냐고 그에게 묻고 싶었다. 글 쓸 시간 내기가 쉽지 않을 텐데. 나는 지난 몇 년 동안 병원 근무로 바빠서 글을 쓸 시간을 찾는 데 애를 먹었었다. 나는 한 유명 작가가 이 끝나지 않는 문제를 딱히 여기며 내게 해준 얘기를 폴에게 전해주고 싶었다. "만약 내가 신경외과 의사인데 손님들을 놔두고 급한 뇌 수술을 하러 가야 한다면 아무도 뭐라고 하지 않을 겁니다. 하지만 위층으로 올라가서 글을 써야겠다고 하면……." 나는 폴이 이 얘기를 들으면 재미있어 할까 궁금했다. 어쩌면 그는 뇌 수술을 하러 간다고 말할지도 몰랐다. 그럴 듯한 얘기였다! 그런 다음 수술실에 가지 않고 대신 글을 쓰지 않았을까.

폴은 이 책을 쓰는 사이에 시간을 주제로 〈스탠퍼드메디슨〉의 특집호에 짧고 인상적인 글을 기고했다. 나 역시 같은 호에 글을 기고했고, 내 글이 그의 글과 나란히 실렸지만 나는 잡지를 받아들고서야 그의 기고 사실을 알았다. 그의 글을 읽으며 나는 지난번 〈뉴욕타임스〉에세이에서 어렴풋이 느꼈던 인상을 다시 한 번, 더욱 깊이 느끼게 되었다. 폴의 글은 그야말로, 탁월했다. 그는 어떤 주제로도 설득력 있는 글을 쓸 수 있는 사람이었다. 하지만 그는 아무 글이나 쓰지 않았다. 그는 시간에 대하여, 그리고 병에 걸린 자신에게 시간이 어떤 의미인지에 대하여 썼다. 바로 이 점 때문에 폴의 글은 믿기 어려울 정도로 가슴에 사무친다.

여기서 다시 한 번 짚고 넘어가야 할 사실이 한 가지 있다. 폴의 문장은 잊을 수 없을 정도로 탁월했다. 그는 펜으로 금실을 자아냈다.

　나는 폴의 문장을 제대로 이해하기 위해 그의 글을 여러 번 읽었다. 첫째로, 폴의 글은 음악적이었다. 골웨이 키넬*을 생각나게 하는, 거의 산문시에 가까운 느낌이었다. (나는 키넬이 아이오와 시티의 한 서점에서 원고를 단 한 번도 보지 않고 자신의 시를 낭송하는 걸 들은 적이 있다. "어느 날 문득/사랑하는 사람과 함께/미라보 다리 한쪽 끝에 있는/카페의 바에 있게 되지./그곳에는 와인을 담은 술잔이 서 있고…….") 하지만 폴의 글은 와인 바가 생기기 전의 시대, 어떤 고대의 나라를 이야기하는 듯한 또 다른 정취를 담고 있었다. 그리고 며칠 뒤 그의 글을 다시 한 번 읽으며 나는 마침내 알았다. 폴의 글은 토머스 브라운**을 연상케 했다. 브라운은 1642년 고어체로 《의사의 종교》라는 책을 썼다. 나는 갓 의사가 된 젊은 시절에 마치 아버지가 실패한 습지 간척에 매달리는 농부처럼 그 책에 집착했다. 하지만 부질없는 짓이었다. 나는 책의 비밀을 알아내려고 필사적으로 매달렸지만 좌절하고 책을 내던졌다가 다시 집어 들기를 반복했다. 그 책이 내게 무슨 도

●　미국의 시인.
●●　17세기 영국의 의사이자 저술가.

움이 될까 의심스러웠지만, 단어 하나하나를 소리 내어 읽어보면 막연하긴 해도 무언가가 와닿는 것을 느꼈다. 하지만 내게는 그 글의 의미를 받아들여서 전해주는 일종의 수용기(receptor)가 없는 것 같았다. 아무리 애를 써도 그 책은 이해하기가 힘들었다.

대체 왜 그렇게 매달렸냐고 내게 물을지도 모른다. 《의사의 종교》를 누가 신경 쓰냐고 말이다.

하지만 그 책을 중요하게 생각했던 사람이 있다. 나의 영웅 윌리엄 오슬러가 그랬다. 오슬러는 1919년 사망한 현대 의학의 아버지이다. 그는 《의사의 종교》를 사랑했다. 그의 침대 옆 탁자엔 언제나 그 책이 있었다. 어찌나 그 책을 사랑했던지 함께 묻어달라는 유언을 남길 정도였다. 하지만 오슬러가 그 책에서 본 것을 나는 보지 못했다. 그렇게 몇십 년간 여러 차례 시도한 끝에 마침내 그 책의 진면목을 알아볼 수 있게 되었다. 현대 철자법으로 출간된 신판이 큰 도움이 되었다. 비결은 소리 내어 읽으며 그 운율을 느끼는 것이었다. "우리는 밖에서 찾는 경이로움을 내면에 지니고 있다. 우리 안에는 아프리카 전체와 그 경이로움이 깃들어 있다. 우리에게는 대담하고 모험심 강한 천성이 있다. 그 천성을 연구하는 사람은 현명하게도 개론서 하나로 깨우치지만, 다른 이들은 각론들을 다룬 무수히 많은 책들을 뒤적이며 고생만 하는 것이다." 이 책을 읽는 독자에게 권한다. 폴의 책 마지막 문단에 이르면 큰 소리로 읽어보라. 그러면 똑같은 긴 문장이지만 발로 박자를 맞출 수 있을 것 같은 운율이 느껴질 것이다. 브라운의 글을 읽을 때처럼 그 흐름을 타고 아득히 먼 곳으로 떠내려가게 될 것이다. 내게 폴은 '돌아온 브라운'이라는 생각이 든다. (시간이 앞으로만 간다는 것이 우리의 환상이라고 본다면, 브라운이 '돌아온 칼라티니'일 수도 있겠다. 음, 머리가 핑핑 돌 만큼 난해한 문제이긴 하다.)

그리고 시간이 흘러 폴은 숨을 거두었다. 나는 스탠퍼드 대학의 교회에서 열린 그의 추도식에 참석했다. 나는 그 멋진 교회가 비어 있을 때 종종 찾아가 앉아 그 안에 비치는 햇빛과 정적을 감상하며 새로운 힘을 얻곤 한다. 폴의 추도식에 찾아온 사람들이 교회를 가득 메우고 있었다. 나는 조금 구석진 자리에 앉아 그의 절친한 친구들, 목사와 그의 형제들이 들려주는 감동적이고 때로는 가슴 아픈 이야기에 귀를 기울였다. 폴은 세상을 떠났다. 하지만 기묘하게도 나는 한 번의 만남과, 그가 썼던 몇 편의 글을 뛰어넘어 그를 진정으로 알아가는 듯한 느낌이 들었다. 스탠퍼드 메모리얼 교회에서 사람들이 들려주는 여러 이야기 속에서 폴의 모습이 생생하게 떠올랐다. 높이 치솟은 돔을 자랑하는 그 교회는, 이제 육신은 땅속에 있으나 손에 만져질 듯 여전히 살아 있는 이 남자를 기억하기에 아주 적합한 장소였다. 그의 멋진 아내와 아직 아기인 딸, 슬픔에 잠긴 그의 부모님과 형제의 모습 속에서, 또 교회를 가득 메운 친구, 동료, 옛 환자들의 얼굴 표정에서 폴은 여전히 살아 있었다. 추도식이 끝난 후 교회 밖에 마련된, 많은 사람들이 찾아준 연회에서도 폴은 우리와 함께 있었다. 사람들은 교회에서 대단히 아름다운 광경을 본 것처럼 평온한 미소를 짓고 있었다. 내 표정도 그랬을지 모른다. 우리는 추도식에서 고인을 기리고 눈물을 흘리며 의미 있는 시간을 보냈다. 그리고 이렇게 연회에서 목을 축이고, 허기를 채우고, 폴을 통해 하나로 이어진 낯선 사람들과 이야기를 나누는 것은 더욱 의미 있는 일이었다.

하지만 폴이 세상을 떠나고 나서 두 달 뒤 이 책의 원고를 받고 나서야 나는 마침내 그를 알게 되었다. 내가 그를 친구라고 부를 수 있어 다행이라고 생각한 그 순간보다 더 그를 잘 알게 된 것이다. 고백하건대, 이 책의 원고를 읽고 나서 나는 내가 얼마나 부족한 사람인지 깨달았다. 숨을 쉬지 못할 정도로 몰입해서 읽은 폴의 글은 정직하고 진실했다.

독자는 마음의 준비를 하고 이 책 앞에 앉아야 할 것이다.

용기가 어떤 것인지, 이런 방식으로 자신을 드러내는 것이 얼마나 용감한 행동인지 목격하게 될 것이다. 무엇보다, 한 사람이 세상을 떠난 뒤에도 글로써 여전히 살아남아 다른 이들의 삶에 커다란 영향을 미칠 수 있다는 걸 알게 될 것이다.

많은 시간을 손안에서 윙윙거리는 사각형 물체에 시선을 고정한 채 덧없는 것들에 주의를 기울이며 진정한 대화는 찾기 어려워진 이 세상에서, 잠시 멈춰 서서 죽었지만 기억 속에 영원히 살아남게 된 내 젊은 친구와 대화를 나눠보길 바란다. 폴의 목소리에 귀를 기울여보라. 그리고 행간에 깃들인 정적 속에 여러분의 내면에서 뭐라고 답하는지 귀를 기울여보라. 바로 거기에 폴의 메시지가 담겨 있다. 나는 그 메시지를 들었다. 여러분도 그 선물을 받길 바란다. 이제 난 자리를 비킬 테니, 폴과 직접 만나보시길.

감
사
의
글

폴의 대리인 윌리엄 모리스 인데버의 도리언 카크마에게 고마움을 전한다. 그의 열성적인 지지와 보살핌이 있었기에 폴은 중요한 책을 쓸 수 있다는 자신감을 얻었다. 랜덤하우스의 편집장 앤디 와드에게도 감사드린다. 폴은 그의 결단력과 지혜, 편집 능력에 감명받아 꼭 그와 같이 일하고 싶어 했고, 그의 유머 감각과 자상함에 끌려 친구가 되고 싶어 했다. 폴이 가족에게 사후에 책이 출판될 수 있게 해달라고 부탁했을 때(말 그대로 유언이었다), 내가 주저하지 않고 그러겠다고 약속할 수 있던 건 도리언과 앤디를 전부터 확고하게 신뢰하고 있었기 때문이다. 그 당시에 원고는 폴의 노트북에 있는 공개 파일에 지나지 않았지만, 폴은 그들의 재능과 헌신을 잘 알고 있었기에 자신의 글이 세상에 나오리라는 걸, 그리고 이 책을 통해 케이디가 아빠를 알게 되리라는 걸 믿을 수 있었을 것이다. 추천의 글을 써주신 에이브러햄 버기즈 교수님께도 감사드린다. 버기즈 교수님이 추천의 글을 써주셨다는 사실을 폴이 알았다면 분명 감격했을 것이다. (다만 교수님의 글 중에 "예언자처럼 풍성한 수염"이라는 대목에는 이의를 제기하고 싶다. 실은 면도할 시간이 없어서 수염이 그렇게 자란 것이기 때문이다.) 에밀리 라프에게도 감사를 전한다. 그녀는 슬픔에 빠져 있는 나를 기꺼이 만나서 에필로그를 잘 쓸 수 있게 조언해주고, 폴이 그랬던 것처럼, 작가란 무엇이고 작가는 왜 글을 쓰는지 가르쳐주었다. 이 책의 독자를 포함하여 우리 가족을 응원해준 모든 분께 감사한다. 마지막으로, 말기 폐암마저도 생존 가능한 질병으로 바꾸기 위해 폐암 관련 연구에 부단히 애쓰고 있는 임상의들과 과학자들, 그리고 그들을 응원해주는 지지자들에게 감사의 인사를 전한다.

루시 칼라니티

이 책은 서른여섯 젊은 나이에 폐암에 걸려 어린 딸과 역
시 의사인 아내를 남겨두고 세상을 떠난 신경외과 의사의
회고록이다. 암에 걸린 이후에 쓴 글이므로 아주 절박한 심
정으로 평소 그가 느끼던 인생과 죽음과 도덕의 문제를 의
학적인 측면에서 기술해 나가고 있다. 저자 폴 칼라니티는
스탠퍼드 대학에서 영문학 학사, 석사 과정을 거치는 동안
에 인생의 의미와 죽음의 현상에 깊은 관심을 느끼고 공부
했다. 뇌와 의식, 삶과 죽음 사이의 공간에서 살게 되면 공감
넘치는 행동을 할 수 있고 또 스스로의 자아도 향상시킬 수
있으리라고 생각했다. 칼라니티는 도덕적 명상은 도덕적 행
동만 못하고, 문학을 통한 간접적 죽음의 체험으로는 죽음

의 의미를 충분히 파악하지 못한다고 생각하여, 다시 스탠퍼드 의학 전문대학원에 입학하여 의과 대학원 4년 과정을 우수한 성적으로 마쳤다. 이후 인간의 뇌를 주로 다루는 분야인 신경외과를 선택하여 스탠퍼드 병원에서 수련의 생활을 하던 도중, 6년차이던 2013년 5월에 폐암이 발병했으나 항암 치료를 받아가면서 마지막 7년차 생활을 성실히 수행하던 중 암이 재발하여 2015년 봄 짧은 생애를 마감했다.

이런 이력을 살펴볼 때 그가 말하는 죽음과 인생의 의미는 결코 추상적인 것이 아니라 피와 땀이 얼룩져 있는 생생한 현장의 기록이다. 칼라니티의 글을 읽으면서 특히 감동적인 부분은 비록 젊은 나이에 죽음을 맞이했으나, 좌절하거나 절망하지 않고 평소 하던 수련의 생활로 다시 돌아가는 장면이다. 그를 치료한 의사 에마 헤이워드는 암에 걸린 사람들은 대체로 두 가지 반응을 보인다고 말한다. 하나는 평소에 하던 일을 집어치우고 칭병하며 아무것도 안 하는 절망적인 태도이고, 다른 하나는 오히려 그 병 때문에 더욱 평소 하는 일에 몰두하는 긍정적인 태도가 그것이다. 칼라니티는 후자의 태도를 보인다. 그는 처음에는 "나는 계속 나아갈 수 없어(I can't go on)."라고 말한다. 그러다가 "나는 계속 나아갈 거야(I'll go on)."라고 말하며 신경외과 수술실로 돌아간다. 이 말은 사뮈엘 베케트의 장편소설《이름 붙일 수 없는 자》의 끝부분에 나오는 유명한 말인데, 칼라니티의 의연한 태도는 우리를 감동시킨다.

죽음을 맞이하는 칼라니티의 태도 또한 우리를 숙연하게 만든다. 암이 폐에서 뇌까지 진이되어 호흡하기가 힘들어진 상태에서 이제 목에 삽관을 해야만 연명할 수 있게 되자 그는 삽관을 거부하고 자발적인 죽음을 선택한다. 평소 죽음이 무엇인지 깊이 명상하여 그 죽음을 삶의 동반자로 여기는 사람다운 선택을 한 것이다. 오래 전에 플라톤은《파에도》에서 "심미아스, 진정한 철학자는 죽음을 그의 직업으로 삼고 무엇보다도 철학자에게 죽음은 가장 놀랍지 않은 현상이라네."라고 말하면서 철학은 곧 죽음의 공부라고 설파했지만, 의학 공부도 실은 이 죽음에 대한 명상이요 대비인 것이다.

칼라니티의 죽음이 너무나도 아쉬운 것은 그가 가나안 땅에 거의 다 도착했는데 막상 그 땅에는 들어가지 못했다는 것이다. 신경외과 수련의로서 탁월한 기량과 성취를 보였기 때문에 스탠퍼드 대학의 교무국장은 그를 모교의 신경외과 전문의 겸 교수로 채용할 뜻을 내비쳤고, 전국의 유명 의과대학들은 지금보다 여섯 배나 높은 연봉을 주면서 채용하겠다고 제안했으며, 투병 중에 어린 딸 케이디까지 얻었는데, 이런 완성 직전의 순간에 죽음을 맞이하게 되었으니 얼마나 억울하고 한탄스러웠겠는가. 그러나 칼라니티는 산을 쌓아올리다가 한 삼태기의 흙이 모자라 완성하지 못했더라도 그것 역시 자신이 감당할 몫이라면서 담담하게 받아들인다.

칼라니티는 이 책의 서시로 영국 시인 그레빌 남작(1554~1628)의 시 〈카엘리카〉를 인용하고 있는데, 그레빌 남작이라고 하면 곤고한 인간의 생존 조건을 노래한 시인으로 유명하다. 남작은 인간이 하나의 법률(정신) 아래 태어났으나, 다른 법률(육체)에 매인 존재이며, 허영 속에서 태어났으나 허영을 금지당한 존재이며, 병든 상태로 창조되었으나 건강하게 살아갈 것을 명령받은 모순적 존재라고 설파했다. 이 말처럼 폴 칼라니티를 잘 설명해주는 말이 따로 있을까? 뇌의 기능을 그처럼 진지하게 연구했으나 결국에는 뇌가 암에 의해 파괴되었고, 인생의 의미를 그토록 알아내려 했으나 사랑하는 아내와 딸을 뒤에 남겨놓고 혼자 떠나가야 했으며, "죽음을 뒤쫓아 붙잡고, 그 정체를 드러낸 뒤 눈 한 번 깜빡이지 않고 똑바로 마주보기 위해" 애쓰다가 결국 죽음에 붙들리고 말았으니 말이다.

죽음을 다룬 책들은 시중에 많이 나와 있다. 그러나 환자들을 위해 죽음에 맞서 싸우던 의사가 정작 자신의 죽음을 맞이하게 된 아주 모순적 상황, 나아가 인간의 이율배반적 상황("죽음이 없는 생존 방식이라는 건 없다.")을 이저럼 생생하면서도 아름다운 문장으로 보여준 책은 별로 없다고 생각한다. 이런 배경 때문에 이 책은 미국에서 출간 즉시 베스트셀러가 되었다. 이 책에는 폴 칼라니티의 아내 루시가 쓴 에필로그가 실려 있다. 옮긴이는 폴의 글도 좋아하지만 루시의 글도 그에 못지않게 좋아한다. 남편의 죽음을 회고하는 그 담담한 글에서 남편에 대한 깊은 사랑을 느낄 수 있다. 책의 마지막 페이지에는 칼라니티 부부가 어린 딸 케이디를 안고 환히 웃는 사진이 실려 있다. 이 책을 다 읽고 이 사진을 들여다보면 웃고 있는 부부와는 다르게 우리는 샘솟는 눈물을 억누를 길이 없다. 부부는 왜 웃고 있겠는가? 웃지 않으면 그들이 먼저 울어버릴 것 같기 때문이다.

서른여섯 젊은 의사의 마지막 순간

숨결이 바람 될 때

초판 1쇄 발행 2016년 8월 19일
초판 15쇄 발행 2016년 10월 25일

지은이 폴 칼라니티
옮긴이 이종인
펴낸이 유정연

주간 백지선 **기획편집** 송병규 엄영희 **디자인** 신묘정 이승은
마케팅 임충진 이진규 김보미 **제작** 임정호 **경영지원** 박승남

펴낸곳 흐름출판 **출판등록** 제313-2003-199호(2003년 5월 28일)
주소 서울시 마포구 홍익로 5길 59, 남성빌딩 2층(서교동 370-15)
전화 (02)325-4944 **팩스** (02)325-4945 **이메일** book@hbooks.co.kr
홈페이지 http://www.nwmedia.co.kr **블로그** blog.naver.com/nextwave7
출력·인쇄·제본 (주)상지사 **용지** 월드페이퍼(주) **후가공** (주)이지앤비(특허 제10-1081185호)

ISBN 978-89-6596-195-6 03840

이 도서의 국립중앙도서관 출판시도서목록(CIP)은 e-CIP홈페이지(http://www.nl.go.kr/ecip)와 국가자료공동목록시스템
(http://www.nl.go.kr/kolisnet)에서 이용하실 수 있습니다. (CIP제어번호 : CIP2016018705)

살아가는 힘이 되는 책 흐름출판은 막히지 않고 두루 소통하는 삶의 이치를 책 속에 담겠습니다.